仁和寺本《黃帝内經太素》（下）

主　編◎錢超塵
副主編◎王育林　劉　陽

《黃帝内經》版本通鑒
第一輯

北京科学技术出版社

《黄帝内經》版本通鑒·第一輯

仁和寺本《黄帝内經太素》（下）

黄帝内經太素卷第廿三

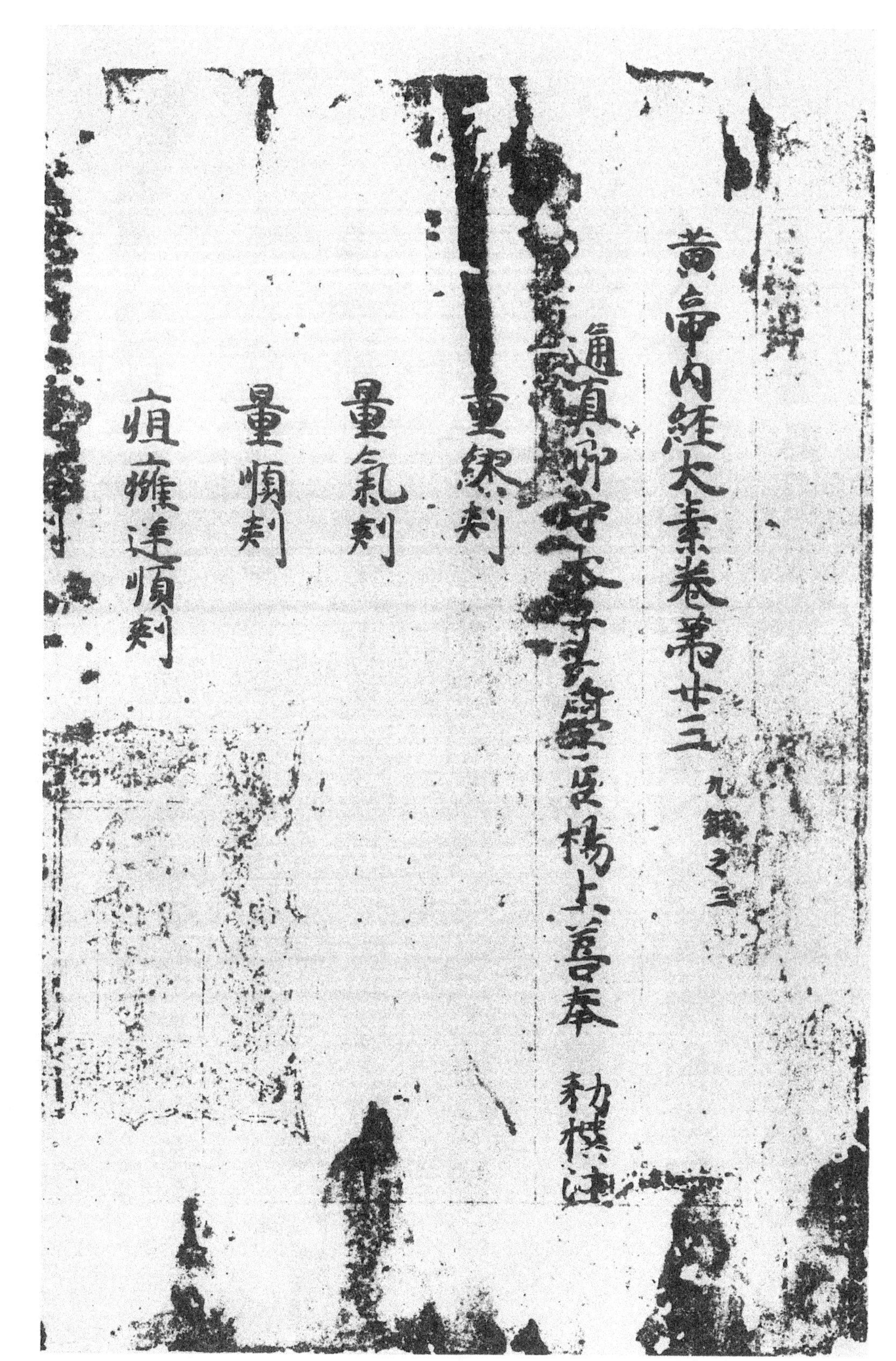

黄帝内經太素卷第廿三　九鍼之三

通直郎守太子文學臣楊上善奉　勅撰注

量繆刺

量氣刺

量順刺

疽癰逆順刺

雜刺

量繆刺

黄帝問岐伯曰余聞繆刺未得意也何謂繆刺

岐伯曰夫邪之客於形也必先舍於皮毛留而不

去入舍於孫脉留而不去入舍於絡脉留而

不去入舍於經脉内連五藏散於腸胃陰陽

感五藏乃傷此邪之從皮毛而入極於五藏

不去入舍於經脈內連五藏散於腸胃陰陽

感五藏乃傷此邪之從皮毛而入極於五藏之次也此陰陽二邪俱感從於皮毛至於五藏故以五藏為次之如此則治其經焉今邪客於皮毛入舍於孫脈留而不去閉塞不通不得入於經流溢於大絡而生奇病焉夫邪客大絡者左注右右注左上下与經相干而布於四末其氣無常處不入於經輸命曰繆刺[illegible][illegible]其畫經而繆經之脈除著邪客皮毛孫絡溢入大絡而生奇病左右相注与經相干乃至於布四末

者絡乘命曰繆刺邪客皮毛孫絡溢入大絡而生奇病左右相注與經相干乃垂於布四末其氣居無常處而不入經可以繆刺之黃帝曰

願聞繆刺以左取右以右取左爲之奈何

其與巨刺何以別之此問繆刺與巨刺之異岐伯曰邪客於

經也左盛則右病右盛則左病先言巨刺也邪氣中於經也左病邪氣有盛則刺右之盛經以刺左右大經故曰巨刺以大之也病亦有易移者左

病未已而右脈先病如此者必巨刺之此者

其中經非絡脈也左病病已右病此病名後病令左病病之未已而右病病起故

以先病名曰易移如是各[illegible]

其穴洞門間也左病之本右則右病起故已先病者曰々經移如此之類可巨刺之故絡病者其痛与經脈繆處故名曰繆刺痛病在於左右大絡異於經脈故名繆々異也黃帝曰願聞繆刺奈何取之如何以下請廣言繆刺也之岐伯曰邪客於足少陰之絡令人卒心痛暴脹胸脇支滿足少陰直脈從腎上入肺中其支者從肺出絡心注胸中故卒心痛也從腎而上故暴脹也注於胸中滿胸脇支滿也以足少陰經之絡傳注而上故少陰脈行處絡為病也無積者刺然骨之前出血如食頃而已左取右右取左病新發者取五日已新發陽病也舊陰病也其所發

然骨之前出血立已左取右右取左病新發者五日已厥陽病也循陰病也其所發之病未循之時折然骨前出血也然骨在足内踝下入骨則此大骨之名絡脉之也邪客於手少陽之絡令人喉痹舌卷口乾心煩臂内廉痛手不及頭刺小指次指爪甲上去端如韭葉各一痏壯者立已老者有頃已左取右右取左此新病數日已者之手少陽外関之絡從外関上繞臂外上注胸合心主之脉胷中之氣上衝故使渫舌卷口乾煩心臂内廉痛手不上頭也老者血氣衰故有頃已之三邪客

於足厥陰之絡令人卒疝暴痛刺足大指

心。膝内痛，手不上頭也。老者血氣衰，故有頃已之也。邪客

於足厥陰之胳，令人卒疝暴痛，刺足大指

爪甲上与肉交者各一痏，男子立已，女子

有頃乃已。左取右，右取左。足厥陰經絡之絡，其別者循脛上睪結於莖。故病卒疝暴痛。疝痛者，陰之病也。女子陰氣不勝於陽，故有頃已之也。邪客於足

太陽之胳，令人頭項肩痛，刺足小指

爪甲上与肉交者各一痏，立已；不已，刺外踝

下三痏，左取右，右取左。足太陽支正之胳，以皆上走肘胳肩髃，故頭項痛也。足小指甲上与肉交處

下三痏，左取右，右取左。皆上走肘，絡肩髃，故頸項痛也。足小指甲上與肉交處，此絡所出處也。外踝下，太陽絡行處也。邪客於手陽

明之絡，令人氣滿胸中，喘息而支胠，胸中

熱，刺手大指次指爪甲上，去端如韭葉，各一

痏，左取右，右取左，如食頃已。手陽明偏歷之絡，其支者上臂，乘肩髃，上曲頰，不言至於胸脅，而言胸脅滿者，手陽明之正，膺乳，別上入柱骨，下走大腸，屬於肺，故胸滿，喘息，支胠，胸熱也。以此推之，正別脈皆為絡。邪客於臂掌之間，不

可得屈，刺其踝後，先以指按之痛，乃刺

之，以月死生為數，月生一日一痏，二日二痏。

之以月死生為痏數，月生一日一痏，二日二痏，十六日十四痏。踝前為掌，踝後為臂。手外踝後足手陽明脈所行之處，有脈見者，是手陽明絡，臂掌不得屈，取此絡之也。邪客於陽蹻，令人目痛從內眥始，刺外踝之下半寸所，各二痏，左刺右，右刺左，如行十里頃而已。陽蹻從足上行至目內眥，故目痛刺之外踝之下申脈所生絡之也。人有所墮墜，惡血在內，腹中滿脹，不得前後，先飲利藥。此上傷厥陰之脈

滿脹不得前後先飲利藥此上傷厥陰之脈
下傷少陰之絡刺足内踝之下然骨之前血
脉出血刺足跗上動脉不已刺三毛上各一
痏見血立已左刺右右刺左人有墮傷惡血在腹中不得大
小便者可飲破血之湯刺而出之若不愈者可刺足内踝之下大骨之前足少陰之絡又取三毛厥陰之絡
善悲善驚不樂刺如右方厥陰之脈入眼故傷厥陰肝虛而善悲
又不樂也志云驚惕故傷少陰之脈令人驚其俱同前方刺三毛之也
邪客於手陽明
之絡令人耳聾時不聞刺手大指次指爪甲
上去端如韭葉各一痏立聞不已刺中指爪甲上

之間令人耳聾，時不聞，先取手大指次指爪甲
上去端如韭葉各一痏，立聞；不已，刺中指爪
甲上與肉交者，立聞；其不能聞者，不可
刺也。手陽明偏歷之絡，別者入耳會於宗脈，故邪客令人耳聾也。不時聞者病成，不
可療。耳中生風者，亦刺之如此數，左刺右，右刺
左。入貫耳中，有風出，故左右於者，手陽明絡，故數方同也。痺往來行無常處
者，在分肉間痛而刺之，以月死生為數。有痺往來
手陽明絡分肉間為痛痺也，從月一日至十五日為月生也，從十六日至卅日為月死也。用針者隨
[illegible]

五日為月滿也，従十六日至卅日為月死也。用針者隨

氣盛衰以為痏數，針過其月數則脫氣，

不及月數則氣不寫，左刺右，右刺左，病已

止，不已，復刺如法。用針之數，隨氣盛衰，盛則益數，衰則減數，數過其數即脫氣，不增其數，邪氣不寫，增減痏仍不愈，刺如前法也。月生一日一痏，二日二痏，十

五日十五痏，十六日十四痏。月生氣盛，痏漸增，故其痏從始至十五日也，十六日後月減，人

氣漸衰，故從十四日減痏數，盡若日，月死之也。邪客於足陽明之絡，令

人鼽衄，下齒寒，刺中指次指甲上与肉交者

各一痏，左刺右，右刺左。足陽明豈陰系絡刺者

人鼽衄下齒寒刺足中指次指爪甲上與肉交者

各一痏左刺右右刺左足陽明豐隆之絡別者上絡頭合諸經之氣下絡喉嗌故從氣入於下齒所以空寒令人齒齲下齒冷也手陽明經入下齒中足陽明經入上齒出之入下齒今言齲齒者是陽明絡入下齒也又尋絡之生病齲不述也絡行處者乃是大絡也今小絡致病者也

邪客於足少陽之絡令人脅痛欬汗出刺足小指次指爪甲上與肉交者各一痏不得息立已汗出立止欬者溫衣飲食一日已左刺右右刺左病立已不已復刺之如法足少陽光明之絡去踝五寸別走厥陰下絡足跗不至於脅足少陽正別者入季肋之間循胸裏

刺左病立已不已復刺之如法 未足踝五寸別走厥

陰絡之脉不至於脅足少陽正別者入季肋之間循胸裏屬膽散之上肝貫心上挾咽故脅痛也貫心上肺故欬也

貫心故汗出也爪与肉交發則陷耶客厥不得息者末膽病也肺以惡寒故刺然足之須溫衣暖飲食之也

耶客於足少陰之絡令人咽痛不可內食無故善怒氣上走賁上刺足下中央之脉各三痏凡六刺立已左刺右右刺左 足少陰之絡之絡別者循注上走心包故咽痛不能納食也少陰正經直者上貫肝膈絡流傍經而上故善怒氣走賁上也賁膈也足下中央有涌泉穴刺於鼻息穴以愈

耶客於足太陰之絡令人腰痛引腹控眇 足太陰公孫之絡別者入絡腸胃足太陰別上至髀合

邪客於足太陰之絡令人腰痛引少腹控䏚足太陰太絡之絡別者入絡腸胃足太陰別上至髀合於陽明與別俱行上絡於咽貫舌中故舌中大脈者即足太陰別經者也此絡既言至髀上行則貫脊入少腹過䏚所以脊痛引少腹控䏚著之也不可以仰

息刺其脊尻之解兩胂之上以月死生為痏數

發鍼立已左刺右右刺左尻髀之兩胂上此絡之脊刺也胂膂肉以真反

邪客於足太陽之絡令人拘攣背急引脇

而痛內引心而痛足太陽飛陽之絡去踝七寸別走少陽不至脊胸足太陽正別入膕中其一道下尻五寸別入於肛屬於膀胱散之腎從膂當心入散直者從膂上於項復屬太陽故邪客拘攣

背急引脇

[illegible]

當心入散，直者從膂上於項，注屬太陽，故邪客拘攣背急引脇，引心痛之心。刺之從項始數脊椎俠脊，疾按之應手而痛，刺之傍三痏，立已。脊有廿一椎，以兩手挾脊當椎按之痛處，即是足太陽絡，其輸兩傍各刺三痏也。邪客於足少陽之胳，令人留於樞中痛，髀不舉，刺樞中以毫鍼，寒則久留鍼，以月死生為痏數，立已。又足少陽光明之胳，去踝五寸，別走少陰，下至樞中，足少陽三別，繞髀入毛際，合厥陰別者，入季脇間，故髀樞中久痛，故髀不舉也。留，停久也。毫鍼如毫毛也，如蚊虻喙也，靜以徐往，微養之久留，以取痛痺也。治諸經刺之，所過者不痛則繆刺之。刺之二經所過之處，不痛者

往蔵養之久留以取痛痺也　治諸經刺之所過
者不痛則繆刺之　刺〻二經所過之處不痛者病在於絡故繆刺之
耳聾刺手陽明不已刺其通脈出耳前
者　在刺手陽明井商陽穴不已在刺手太陽出走耳聽會之穴也　齲刺手陽明不
已刺其脈入齒中者立已　刺手陽明除三間穴不已刺手陽明元諸之穴
邪客於五藏之間其病也脈引而痛時
來時止視其病脈繆刺之於手足爪甲上
視其脈出其血間日一刺〻不已五刺已　五藏之脈
引而痛視其左右病脈所在可繆刺之手足爪甲上

刺其脉出其血間日一發不已五刺已之脈

引而有痛視其左右病然可繆刺之手足爪甲上八十二經脈并之絡脈故取之也亦是取經并以療絡病之也

繆傳刺上齒足陽明絡左病右痛右病左痛可刺上齒足陽明絡齒脣寒

痛視其手背脈血者去之足陽明中指爪甲

上一痛手太指次指爪甲上各一痛立已左取

右右取左手陽明脈入下齒中還出俠口交人中足陽明脈入上齒中還出俠口環脣下交承漿故取手陽明血絡以去齒脣痛也足中指爪甲上足陽明絡故亦取之手大指次指爪甲上亦是手陽明絡故亦取之皆視其病左右繆刺之

嗌中腫不能內唾時不能出唾者

繆刺然骨之前出血立已左刺右右刺左

右渠刺之　嗌中腫，不能内唾，時不能出唾者，

繆刺然骨之前，出血立已。左刺右，右刺左。之

足少陰經，出然骨而上，循喉嚨，侠舌本，故嗌中腫，刺然骨前絡脉也。之　邪客於手

足少陰、足陽明絡，此五絡皆會於耳中，上絡

左角。手少陰、足少陰、手太陰、足太陰、足陽明，此五經脉。手少陰通里，入心中，繫舌本，孫絡至耳中。足少陰經，至舌本皮部絡，入耳也。手太陰之別，循喉嚨，亦孫絡入耳中。足太陰經連舌本，散舌下，亦皮部絡入耳中。足陽明經上耳前，過客主人，前亦皮部絡入耳中。此之五絡入於耳中相會，通已，上絡於左角，左角，陽也。　五絡俱

竭，令人身脉皆動，而形無知也，其狀若尸，或

此之五絡為身經紀，故此脉絶，諸脉亂動。[illegible]

令人身脈皆動而形無知也其狀若尸厥 此之五胳為身從記故此脈絶諸脈亂動形不知人与尸厥死之相似非尸厥之也 刺足太指內側甲下去端如韭葉 此刺足太陰隱白也 後刺足心 刺足少陰湧泉穴也 後刺足中指甲上各一痏 刺足陽明厲兊穴也 後刺手太指之內去端如韭葉 刺手太陰少商穴也 後刺手少陰兊骨之端各一痏立已 刺手少陰神門穴也此前五刺皆中其经穴以調胳病 不已以竹筒吹其兩耳中鬄其左角之髮方寸燔治飲以美酒一盃不能飲者灌之 [illegible]二鬄耻應反陰也于中五[illegible]刺[illegible]見

者穴火之會也第之一孟不俞會者濁之

立上 竅耶應反陰也下十五歲會處也左角五臓之處也 以刺之數必先視

其經脈切而順之審其虛實而調之不調者

經刺之 不調者偏有虛實也偏有虛實者可從經穴調其氣也 有痛而經不

病者繆刺之 絡經脈之見有病仍有痛者此病有異處故左痛刺右等名曰繆刺之

因視皮部有血絡者盡取之此繆刺之數也

繆刺之處皮部所絡皆刺去之名曰繆刺之法數法之也

量氣刺

黃鍼[illegible]

黃帝問於岐伯曰：余聞九針於夫子，而行之百姓，百姓之血氣各不同形，或神動而氣先針行，或氣與針相逢，或針已出氣獨行，或數刺乃知，或發針而氣逆，或數刺病益劇，凡此六者各不同形，願聞其方。岐伯曰：重陽之人，其神易動，其氣易往也。夫爲針之法，調以氣爲本，故此六者同氣之行也。

黃帝曰：何謂重陽之人？岐伯曰：重陽之人，

[illegible]高[illegible]重陽之人

也黃帝曰何謂重陽之人岐伯曰重陽之人

熇々高々言語善疾舉足善高重陽之人謂高有餘

也熇相傳許嬌反熇々高々言其人驕悖也心肺之藏氣有餘陽氣滑

盛而揚故神動而氣先行五藏陰陽皆心肺為陽肝腎為陰故

心肺有餘為重陽也重陽之人其神魂動其氣所行以陽氣多也故不待針設料神動其氣所行不待針入其

人為之料發為易也黃帝曰重陽之人而神不先行者何也

自有重陽要待針入其氣方行故須向之岐伯曰此人頗有陰者黃帝

曰何以知其頗有陰也岐伯曰多陽者多喜多

陰者多怒數怒者易解故曰頗有陰其陰

□何以知其皆有陰也岐伯曰多陽者多喜多

陰者多怒，數怒者易解，故曰頗有陰，其陰

陽之合，難，故其神不能先行也。欲知重陽仍有陰者，惟之可知

人其陽者其必多喜多陰者多怒，仍有數怒易解，所是重陽有陰之也，重陽有餘人其氣不得先針行黃

帝曰：其氣與針相逢奈何？岐伯曰：陰陽和調而

血氣淖澤滑利，故針入而氣出，疾而相逢也。陰陽和平之人以其氣和，故針入而氣應相逢者也黃帝曰：針以出而氣獨行者

何氣使然？岐伯曰：其陰氣多而陽氣少，陰

氣沉而陽氣浮，沉者藏，故針以出氣乃

氣沉而陽氣浮沉者藏故針以出氣乃
隨其後故獨行也 多陰少陽之人陰氣深而內藏故出針後氣遲行也
黃帝曰數刺乃知者何氣使然岐伯曰此人多
陰而少陽其氣沉而氣往難故數刺乃知也
知者病愈也其人陰多陽少其氣難宣故數刺方愈也 黃帝曰針入而逆者
何氣使然岐伯曰其氣逆與其數刺病益
甚者非陰陽之氣浮沉之勢也此皆粗之

[illegible]陰陽之氣[illegible]

所敗之之所失其形氣無邊者 判之令人氣逆又判之病

甚者皆是醫士不知氣之浮

沉派是陰陽形氣之過也

量順刺

黄帝問伯高曰余聞氣有逆順脉有盛衰

刺有太约可得聞乎 設此三問爲調氣之要也 伯高對曰氣

之逆順者所以應天下陰陽四時五行也

一知逆順謂知四時五行逆順之氣候而刺也 脉之盛衰者所以候血氣之

虛實有餘不足 二知候脉謂候寸口 刺之大约

行逆順之氣依而刺也脈之盛衰者所以候血氣之

虛實有餘不足二知候脈謂候寸口人迎血氣虛實也刺之大約

者必明知病之可刺与其未可刺与其已不

可刺也三知刺法謂知此病可刺此未可刺此不可刺也約法也黃帝曰候之奈

何伯高曰兵法曰無迎逢〻之氣逢蒲東反兵盛氣也無擊

堂〻之陳刺法曰無刺熇〻之熱熇呼篤反熱熾盛也堂〻

兵盛貌兵之氣色盛者未可即擊待其衰然後擊之刺法亦

耶氣盛者消急按摩折其大氣然後刺之故曰無刺

熇〻熱也無刺漉〻之汗漉〻者血氣泄甚大虛故不可刺之也無刺渾

〻之脈渾〻濁亂也亂[illegible]脈濁亂之[illegible]

勢也無刺[illegible]之[illegible]逆故不可刺之也無刺[illegible]

々之脈渾々濁亂也凡候脈濁亂者莫知所病故不可刺也無刺病与脈相逆

者形病脈不病脈病形不病名曰相反逆々反也黄帝曰候其可刺

奈何伯高曰上工刺其未生者也内外二邪雖有未起病形

刺々之以為上工也其次刺其未盛者也已成病病未為盛者刺之以為上工者之

其次刺其已衰者病雖已衰未即能愈刺之以為中工者也下工刺

其方襲也与其形之盛者也与其病之与脈相

逆者也方正方襲重也正病重疊病形復盛病脈相反刺之以為下工者也之故曰方其

[illegible]言工有

淫者也 臧病脈相反刺之以為下工者也之[illegible]曰者其

臧也勿敢毀傷刺其已衰事必大昌 言工有植發也 故

曰上工治不病不治已病此之謂也 不病未病之病也已

病已成病也

疽癰逆順刺

黃帝曰余以少針為細物也夫子乃上合於

之天下合之於地中合之於人余以為過針

之意矣願聞其說之 九針微細之道以合三才之大余竊大過也物道也之

岐伯曰何物之大於針者乎夫大於針者[illegible]

之意矣願聞其故 之大余謂大過也物道也之

岐伯曰何物大於針者乎夫大於針者唯五

兵者焉五兵者死之備也非生之備也且夫人者

天地之鎮塞也其可不參乎夫治人者亦唯

針焉夫針之與五兵其孰小乎 夫人之為天地鎮塞貴

莫大焉受戟者爭之義毒五兵死之之具也九針雖小精要

生人之器也聖人用之理於百姓遂為小道故大之無外

小之無內細入無間令人失毒者其唯九針乎 黃帝曰病生之時有喜怒不

測飲食不節陰氣不足陽氣有餘營氣

不行乃發為癰疽 癰生所由凡有四種測度也害

節陰氣不足陽氣有餘營氣

不行，乃發為癰疽。癰生所由，凡有四種，測度也。喜怒無度，爭氣聚，生癰一也；飲食

不依節度，縱情不擇寒溫，為癰二也；藏陰氣虛，府陽

々氣々實々盛，生癰三也；邪客於血，聚而不行々生癰四

也。癰疽一也。癰之大者，骸骨名曰疽也。陰陽氣不通，兩熱相薄，乃

化為膿，針小能取之乎？以下言生膿所由也。邪客於皮膚之中，寒溫二氣不

和，內外兩熱相薄，膚内敗生於膿，恐小針不能取之。岐伯曰：聖人不能使化

者，為邪之不可留也。故兩軍相當，旗幟相

望，白刃陳於中野者，此非一日之謀也。能使其

令行禁止士卒無白刃之難者非一日之教

至的者所生中里者山則一定之謂也能使其

人令行禁止卒無白刃之難者非一日之勢

也須臾之得也夫至使身被癰疽之病

膿血之聚者不亦離道遠乎夫癰疽之生也

膿血之成也不從天下不從地出積微之

所生也故聖人之治自於未有形也愚者

遭其已成也 識昌志反播也聖人不能使身化爲病者以聖人理之未亂其邪不可留於

身也故廢白刃陳於中野諸之怪久士卒無離習逆之速疾

疽不生謂中少白坊身遺癰疽之病未知性之直速矣夫

積石成山積水成川積眾成禍積氣成癰非從天下地出

直不生。謂中央無[illegible]，身遠離直之病，未知性之道，遂矣。夫積土成山，積水成川，積罪成禍，積氣成病，亦從天下地出，皆由不去所職微，故得斯患也。聖人不合於國理之未亂，於身約之於未病，不同愚人渴而穿井，鬪而鑄兵也。黃帝曰：其以有形，不予遭，膿以成，不予見，為之奈何？遭，逢也。予，百姓。帝以百姓如子者也。言不逢者，癰之有形，百姓不能逢知也；癰之有膿，百姓亦不見，為之奈何也之。岐伯曰：膿以成，十死一生。癰生於節，特及腹内膿成，不可療，故十死一生之。故聖人不使以成，而明為良方，故聖人明為良方者，敬之特療之未使成也。著之竹帛，使能者踵之傳之後世，無有終時者，為其不遭也。著之竹帛，為於百姓。黃帝曰：其以有膿

遠者也 痛之作，常爲於百姓 不能遠知痛疽者 黄帝曰善以有膿

血而後遠乎可遠以小針治乎 痛之生於背及 節間膿内已有

膿血，後百姓，遂知 小針可得療不也 岐伯曰以小治小者其功小以

大治大者多害故其已成膿者其唯砭石鈹

鋒之所取也 以小針療癰之小雖毫故曰其功小也以 大針療膿成大功以慶多故得忍膿害

傷也是以膿成 唯須砭鈹之也 黄帝曰多害者其不可全乎 以害 者砭

鈹之傷即 至死也之 岐伯曰其在逆順焉 逆者多傷致死須 者出膿得半也

黄帝曰願聞逆順岐伯曰以爲傷者其白眼

主死也意[illegible]者出[illegible]得生也

黄帝曰願聞逆順岐伯曰以為傷者其白眼

青黑眼小是一逆也內藥而歐是二逆也腹

痛渴甚是三逆也肩項中不便是四逆也

音嘶色脫是五逆也除此者為順矣 先有

五傷後行鍼者為逆也先無五傷腹減行鍼為順也嘶先來反聲破也

量絡刺

黄帝曰願聞奇邪而不在經者岐伯曰血絡

是也邪在血絡奇絡之

黄帝曰刺血絡而仆者何

黃帝曰願聞其奇邪而不在經者岐伯曰血絡

是也（邪在血絡奇絡之中岐伯曰奇邪也）黃帝曰刺血絡而仆者何

也血出而射者何也血少黑而濁者何也血出清

半為汁者何也發針而腫者何也血出若多

若少而面色蒼蒼然者何也發針而面色不變

而煩悗者何也多出血而不動搖者何也願

聞其故（刺絡有此八種之異請解所以也）岐伯曰脈氣盛而血虛

者刺之則脫氣脫氣則仆（脈中氣多血少血持於氣刺之氣血俱出其氣

虛而復脫氣氣）……氣俱盛而陰氣多者其血滑

者[illegible]之目脈〻集〻目作氣刺之氣血俱出甚晃虛而復脫氣〻血俱棄故作也血氣俱盛而陰氣多者其血滑刺之則射之陽氣多者其血滑刺之血射此爲陰氣多者陰多爲濇故陰字錯也陽氣蓄積久留而不寫者其血黑以濁故不能射熱氣久留痛並故黑血而濇也新飲而液滲於絡而未合和血也故血出而汁別焉其不新飲者身中有水久則爲腫新水未變爲血所以別行舊水留而不寫以爲訧腫陰氣積於陽則其氣因於絡故刺之血未出而氣先行故腫陰氣久積陽絡之中刺之陰血陰陽[illegible]氣所[illegible]

貫其氣因不附故與之血者出而氣先行故脈陰氣久積陽絡之中剌之陰血溢而未行陽氣先行故腫陰陽之氣新相得而未和合因而寫則陰陽俱脫表裏相離故脫色面蒼然謂過也陰陽或和則表裏相持未合剌之然俱脫離所以脫色面色青之剌之血多色不變而煩悶者剌絡中虛々經々之屬於陰者陰脫故煩悶剌絡血者邪盡血變血多其色不變其心悶者以其剌屬藏屬經陰氣有脫致使心悶也陰陽相得而合為痹者此為內溢於經外注於絡如是者陰陽俱有餘雖多出血而弗能虛也

[illegible]

是者陰陽俱有餘，雖多出血弗能虛也。陰陽相并受邪為病，是為陰陽俱盛，故出血不虛也。黃帝曰：相之奈何？歧伯曰：血脈盛者，堅橫以赤，上下無處，小者如針，大者如濡，則而寫之萬全。相，作也。陰陽俱盛，其作如何？陰陽ゆ經盛溢，走注於絡，故作堅橫，盛絡寫之，萬全皆也。故無失ゝ數ゝ而反，各如其度。數，理也。若失理而反氣者，各如赤之度。黃帝曰：針入如肉著者何也？歧伯曰：熱氣因於針，

則針熱，則肉着於針……

則針染之則肉着針故堅焉　腐肌纏染故令針之寒之則内着轉之為難可動針又爲染去針寒寒自然相離之也

雜刺

黄帝問於岐伯曰夫四時之氣各不同形百病之起皆有所生灸刺之道何者可寶　則四氣不同二則共病有異灸刺然而要之何者爲貴

岐伯對曰四時之氣各有所在灸刺之道得氣穴為寶　灸刺所貴

此符共四　故春取經血脉分肉之間甚者深

氣各有所在，灸刺之道，得氣穴為寶。所貴以得其四時之氣也。故春取經血脈分肉之間，甚者深刺之，間者淺取之。春時人氣在脈，謂在經絡之脈分肉之間，故春取經血脈分肉之間也。夏取盛經孫絡，取分間絕皮膚。夏時人氣經滿氣溢，流絡受血，皮膚充實，故夏取盛經孫絡，又取分腠，以絕於皮膚也。秋取經輸，邪在府，取之合。秋時天氣始收，腠理閉塞，皮膚引急，故秋取藏輸之滎，以寫陰邪，取府經之合，以寫陽邪也。冬取井滎，必深以留之。冬時蓋藏，血氣在中，內著骨髓，通於五藏，故取井以下陰氣逆，取滎以實陽氣也。風水膚脹為五十九痏，腹皮之血者盡取之。以下雜刺有此風水刺一也。

取榮以實陽氣也前水屬用臣五十九病腧

皮之血者盡取之以下雜刺有此風水刺一也風水及膚脹刺水穴爲五十

九痏又盡刺去陰皮絡血之也飧泄補三陰之上補陰之陵

泉皆久留之熱行乃止飧泄刺二也飧泄病膚各皆補足三陰上取開

元等下取陰陵泉也之溫瘧汗不出爲五十九刺此溫瘧刺三也

溫瘧寒熱病也故刺熱瘧五十九痏也轉筋於陽理其陽卒針之

轉筋於陰理其陰皆卒針轉筋刺四也六陽轉筋所

以燔針刺其陽筋六陰筋轉還以燔針刺其陰筋也徒水先取環谷下三

之還以燔針刺其陰氣也　亦先取環谷下三
寸以鈹針之已刺而針之筩而内之入而復
之以盡其水必堅束之緩則煩悗束急則
安靜間日一刺之水盡乃止飲閉藥方刺之
時徒飲之方飲無食方食無飲無食他食百
卅五日　悗紆元反此水刺法五也環谷當是臍中也臍下二寸關元之穴也鍼關元内筩引水
々去人居當堅束身令實復飲薄藥飲之与食桐去
而進間日刺之不可頓去水盡乃止禁如藥法一百卅五
日乃得食徒空
也空飲無食也
著痺不去久寒不已卒取其
三里　此著痺刺六也卒刺燔針唯上經卒當為

也空飲無食也 著痺不去久寒不已卒取其

里骨 此著痺刺六也卒刺燔針唯上疑乘當為焠刺痺法也里骨謂與著痺同里之骨名曰

里骨以其痺深故取此骨之也 為骭脹中不便取三里盛瀉

之虛補之 骭脹刺七也骭䯒脛也脛寒為脹取三里補寫為乘也

癘風者素刺其腫上已刺以兌針兌其

處按出其惡氣腫盡乃止常食方食無

食他食 此癘風刺八也素癩作乏微也刺癘風腫上也已後兌頭之針以兌其處去針以手按之出其惡氣食如禁法之 腹中常鳴氣上衝胃喘不能久

邪在大腸刺肓之原巨虛上廉三里 大腸

如築法之……

亦邪在大腸，刺肓之原、巨虛上廉、三里。大腸氣上衝，刺九也。大腸手陽明脈，絡肺下膈屬大腸，故邪氣在大腸，脈上衝胷，不能久立也。肓，腸也，臍之原出鳩尾也。巨虛上廉與大腸合，以之陽明上廉手陽明，故取巨虛上廉并取三里也。少腹控睪，引腰脊，上衝心，邪在小腸者，連睪系，屬於脊，貫肝肺，絡心系，氣盛則厥逆，上衝腸胃，動肝，散於肓，結於臍，故取之肓原以散之。小腸上衝，刺十也。睪音高。小腸傳脊右，環繫臍，其注於廻腸者，外傳於臍上。少腸之脈，絡心，循咽下膈，抵胃，屬小腸，故得之肓原，以散之。脊右環，葉脊，其連於迴腸者，外傳於膂上，少腸之脈，絡心，循咽下膈，抵胃，屬小腸，故得連睪系，屬於脊，貫肝肺，絡心系也。是以邪氣客小腸氣盛，則厥逆，上衝腸胃，動於肝肺氣，散於肓，結於臍也。肓原，肓原，脖胦也，臍上一寸五分也。刺太陰以予之，小腸脈貫肺，故取手大陰，取手大陰五輸療帶病之穴。取厥陰以下之，小腸脈貫肝，故取肝脈足厥陰，療帶病五輸之穴也。取巨虛下廉以去之，巨虛下廉與小腸合，故取之。按其所過之經以調之，調所過之經，補寫之。善歐，歐有苦，長大息，心中澹澹，恐人將補之，耶在膽，逆在胃，膽液泄則口苦，胃氣逆則歐，故曰歐膽

人將捕之邪在膽逆在胃膽液泄則口

苦胃氣逆則歐苦故曰歐膽者取三里

以下胃氣逆刺少陽血絡以閉膽部調

其虛實以去其邪口苦刺十一也長大甚者太甚氣以膽吼之病以懼故如人將捕之也邪在膽者熱邪在於膽中溢於苦汁胃氣因逆逆歐膽口苦名曰膽癉故取三里以下胃之逆氣取膽脈少陽調其虛實以去寒邪也飲食不下鬲塞不通邪在胃管

在上管則刺抑而下在下管則散而去之飲食不下刺十二也邪在胃管則令胃中氣氣壅不通飲食不下之候邪在上管則胃之上口之穴抑而下之

邪在下管則胃之下口裹有重[illegible]

道飲食不下之候邪在上管則胃之上口之穴抑而下之

邪在下管則胃之下口之微穴而去之也

少腹病腫不得小便邪在

三膲約取之足太陽大絡視其絡脈與厥

陰小絡結而血者腫上及胃管取三里腹脹不通

刺十三也邪在三膲約而不通故小腹腫不得大小便可刺足太陽大絡及足厥陰踈絡結聚之血可刺去之又刺腫上及取胃管并刺三里也

觀其色察其目知其散復者視

其目色以知病之存亡而病存亡候十四也散則病亡復則病存也

壹其形聽其動静者持氣口人迎專務不散則一

其形也静神在脈則聽動静之氣口則見[illegible]長

甚形甚重青者持氣口人迎散則一

其病也，静神在脈，則聽動静之氣口，則視其脈，手大陰寸口脈，人迎則足陽明人迎脈也。

堅且盛且滑者病日進，脈濡者病持下。

諸經實者病三日已，氣口候陰，人迎候陽。

氣口藏脈，故候陰也；人迎府脈，故候陽也。

刺家不診，聽病者言，在頭疾頭痛，為藏針之，刺至骨病已，無傷骨肉及皮，皮者道也。陽刺入一，傍四，十五也。

不診刺所刺之處，病人自知病之所在，不須頭診，更不為診。脈為針之，故曰藏，藏針之法，刺至骨部，不得傷於骨肉皮部，皮者乃是取其刺骨肉之道，不得傷餘處。

肺為針也，故曰藏之針，針之法，刺至骨，骨部不得傷於
骨肉皮，刺皮者乃是取其刺骨肉之道，不得傷餘處
也。刺頭病者頭為陽也，善卷入脈法為頭療痛痛故
陽刺之法，正內一，傍內四，療氣博大
者也。本作陰刺者，字誤耳也。治寒熱深專者刺
大藏，迫藏刺背，背俞也。寒熱針十六也。大藏，肺
藏也。肺藏之脈，大於四
藏，故曰大藏。刺肺寒熱之法
迫藏，刺之刺於背俞，迫近也。刺之迫藏，藏會，腹
中寒熱去而止，與刺之要，發針而淺
出血刺背輸迫藏，刺之從藏，藏氣會通腹中，寒熱氣
盡乃止，并刺要中淺，發其藏氣出其血也
治癰腫者刺癰上，視癰小大深淺刺，大
者多血，深之必端內鍼為故止 癰腫刺十七

治癕腫者刺癕上視癕小大深淺刺大

者多血深之必端內鍼為故止 癕腫刺十七也刺癕之

法當癕上刺之大者深之小者淺之便寫內鍼以出血為故鍼賊取之 病在小腸者有

積刺腹齊以下至少腹而止刺俠脊刺兩

傍四椎間刺兩髂髎季脅肋間導腸中熱

下氣已 腸積刺十八也髂客罵反髂骨兩箱也少腸傅脊下連睾系外傅於齊故小腸有積刺

於齊腹下至少腹并脊椎間及季肋間也 病在小腹痛不得小大便病

名曰疝得之寒刺少腹兩股間刺腰髁骨

間刺而多之盡炅病已 髁口化反痛疝刺十

名曰疝得之寒刺少腹兩股間刺腰髁骨間

間刺而多之盡炅病已也疝曰作受痛疝刺十九也得寒者得之於寒多刺此五藏得熱便愈也炅音桂也之病在筋攣諸節痛不

可以行名曰筋痺刺筋上為故刺分間不

可中骨也病起筋炅病已上筋痺刺廿也筋攣諸節故筋攣諸節皆痛不可中其骨節以病起筋所以筋熱已上也病在肌膚盡

痛〻痺傷於寒濕刺大分小分多發針而

深之熱以為故肌膚痛刺廿一也寒濕之氣客於肌中名曰肌痺可刺肉之大分小分之間

也病在骨骨重不可舉骨髓酸痛寒氣至

深之熱為故中名曰肌痹，可刺肉之大分小分之間也。無傷筋骨，傷筋骨，癰發若變，諸分盡熱，病已止。刺肌肉分者，不得傷骨筋之部，傷筋骨之部，發為癰也。刺肌痹者，若得諸分肉間盡熱，即病已也。之病在骨，骨重不可舉，骨髓痠痛，寒氣至，名曰骨痹，深者刺，無傷脈肉為故，至其大分小分，骨熱病已。痹者刺廿二也。邪氣在骨，骨重痠痛，名曰骨痹。骨痹刺之，無傷脈肉之部，若得刺其骨部大小分間之也。病在諸陽脈，且寒且熱，諸分且寒且熱，名曰狂，刺之虛脈，視分分盡熱，病已

止 狂病刺廿三也。陽并陽明太陽等，故曰諸

[illegible]

而上狂病則廿三也陽并陽明太陽等故曰諸陽脉盛及四支諸分見有寒熱名之爲狂一則法補其虛陰令分皆熱得平病之也病初發歲一發不治

月一發不治四五日一發名曰癲病則諸其分諸

脉其尤寒者以針調之病已上癲病則廿四也一發不瘳者謂將癲病一歲發已有經數時不發乃瘳乃先後更發時有一日廿數不瘳之者復更發時一日之中四五度發之名曰癲病則法待其發已則諸分諸脉以針補甚寒者病已有本爲月一發也病風且寒且

炅汗出一日數過先則諸分理胳脉汗

出且寒且熱三日一刺百日而已寒熱

炅汗出一日數過先刺諸分理絡脈

出且寒且熱三日一刺百日而已寒熱刺此之也。風成為寒熱，一日數度寒熱，并須刺諸分腠絡脈。復且寒且熱，三日一刺分肉也。病大

風骨節重，鬚眉隨落，名曰大風，刺肌

肉為故，汗出百日，刺骨髓，汗出百日，凡

二百日，鬚眉生而止。大風刺法六也。刺肌肉之部，及骨髓部，各經百日，二百日已，以鬚眉生為限之也。

黄帝内經太素卷第廿三

仁安三年四月廿三日以同本書之
并點校合了
丹波頼基

本云
保元二年三月廿三日以同類傳本移點比校了

一交

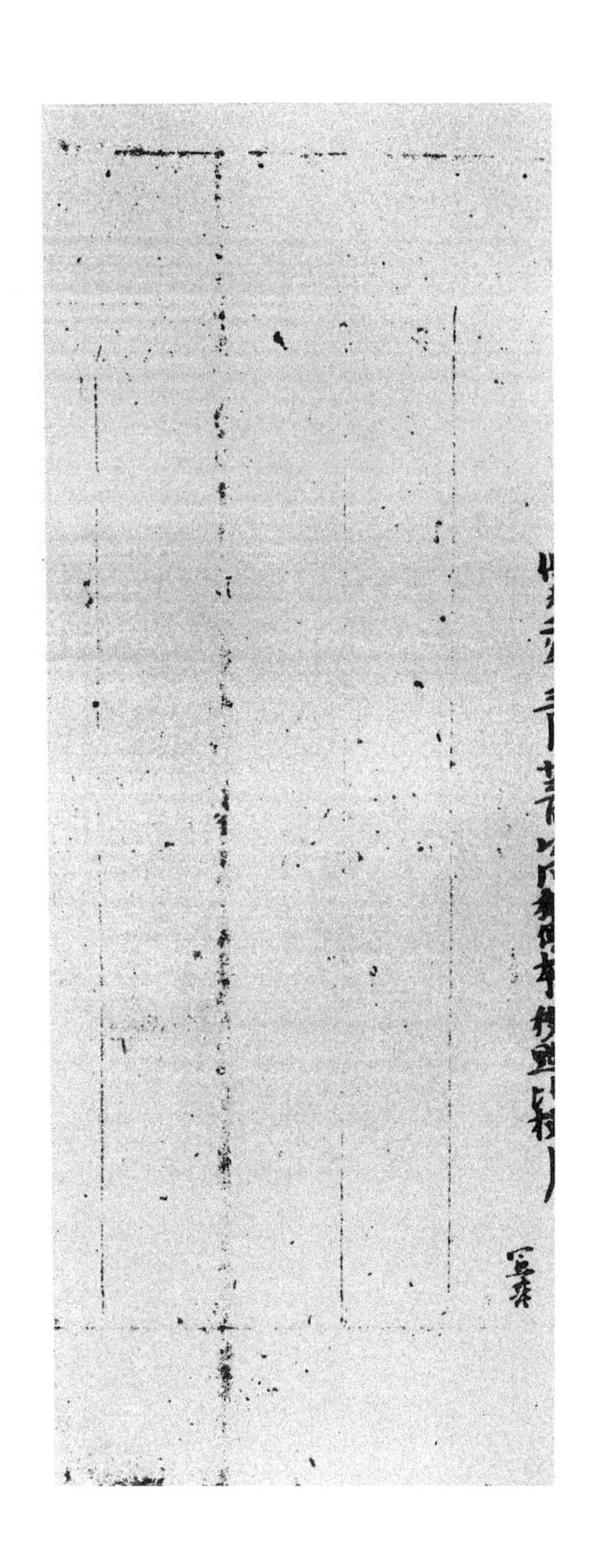

黄帝内経太素卷第廿四

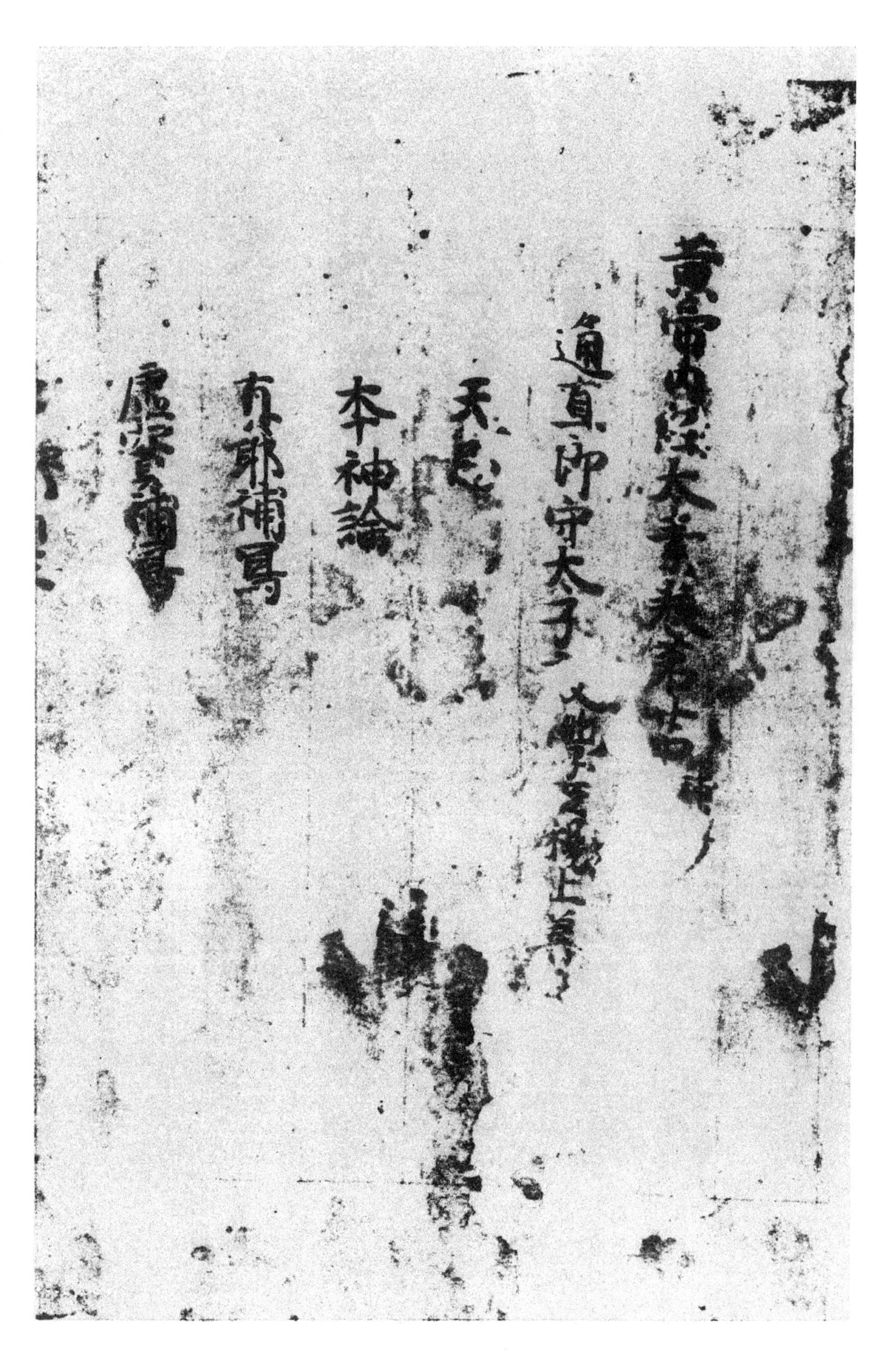

黃帝內經太素卷第廿四

通直郎守太子文學臣楊上善奉撰注

天忌

本神論

真邪補寫

虛實補寫

天忌

黃帝問於岐伯曰用鍼之服必有法則焉今何

法何則岐伯曰法天則地合以天光

黃帝曰願卒聞之岐伯曰凡刺之法必候日月星

辰四時八正之氣氣定乃刺之定者候得於八正氣日定乃刺之是故

天溫日明則人血淖液而衛氣浮故血易寫

天溫日明則人血淖液而衛氣浮故血易寫氣易行天寒日陰則人血凝泣而衛氣沉也淖丈卓反淖濡也謂血濡濕通液也衛氣行於脈外故隨寒溫而行浮沉泣謂澀泣音澀之月始生則血氣始精衛氣始行血氣者經脈及絡中血氣者也衛氣者謂是脈外循經行氣也精者謂月初血氣隨月新生故曰精也但衛氣常行而言始行者言隨月生稱曰始行也月郭滿則血氣盛肌肉堅脈中血氣及肉皆隨月堅盛也月郭空則肌肉減經絡虛衛氣去形獨居是以因天時而調血氣者也經脈之內陰氣隨月皆虛經絡之外衛之陽氣亦隨月虛故稱為去非無衛氣也形獨居者血氣與衛雖去形骸恒在故曰獨居故調血氣在於時也是

者血氣与衛離去形，歲恒在，故曰獨居，故調血氣在於時也。

故天寒無刺，天溫無凝，天溫血氣淖澤，故可刺之，不須疑也。月生無寫，月滿無補，月生血氣始精微弱，刺之虛虛，故不可寫。月滿人氣皆盛，刺之實實，故不可補也。月郭空無治，[illegible]是謂得時而調之，[illegible]因天之序，盛虛之時，移光定位，正立而待之。正立待之，候其氣也。故曰：月生而寫，是謂藏虛，月生藏之血氣精微，故刺之重虛也。月滿而補，血氣揚溢，絡有留血，命曰重實。揚溢盛也。月滿刺之，絡溢留血，故曰重實也。月郭空而治，是謂亂經，[illegible]陰陽相錯，真邪不別，沈以留止，外虛內亂，淫邪乃起……

衰也

別沉以留止外虛内亂淫邪乃起月郭空者衣无遺也肌肉并經絡及衛氣陰陽符虛真氣邪氣交錯相似不能別之則邪氣沉帶脈外虛經脈内亂於是淫邪得起也黄帝曰星辰八正何候岐伯曰星辰者所以制日月之行也日下廿八宿為制度也八正者所以候八風之虛邪以時至者也四時者所以分春秋冬夏之氣所在以時調之也以八方正位候八節虛邪之風也四時者分陰陽之氣為四時以調血氣之也八正之虛邪而避之勿犯也以身之虛而逢天之虛兩虛相感

[illegible]

其鍼鍼不由適入則傷五藏工假救之弗能傷也故

曰天忌不可不知也所以為氣年加於屢文曰身之屢之與辰縣相藏為病入深故至於骨傷五

藏也法天作之以禁故曰天忌也 黃帝曰善

本神論

黃帝曰其法星辰者余以聞之願聞法往古者

也帝問師古鍼虫之道 岐伯曰法往古者先知鍼經也往古伏羲氏始制九鍼八部造書契所司

制針經補泻 驗於來今者先知日之寒溫月之虛盛也以候

故病三道

[illegible]制鍼經之旨據

故病之道則[illegible]

氣之浮沉而調之於身觀其立有驗也制鍼經之旨擬驗於來今者先知寒溫虛盛以候氣浮沉然後針調之以取其驗也觀於冥冥者言形氣營衛之不形於外形之肥瘦血氣盛衰營衛之行不見於外故曰冥冥之也而工獨知之以日之寒溫月之盛虛四時氣之浮沉參伍相合而調之工常先見之然而不形於外故曰觀於冥冥焉以下解觀冥冥也工以神得彼形氣營衛之妙不可如事參伍相合而調之將合外不知故曰觀冥冥之通於無窮者可以傳於後世無窮者謂氣血之妙也真通之者可傳之於後万代不通之者以為法

是故工之[illegible]

通於無窮，可以傳於後世也。通之者，可傳之於萬代不

通之者以能足人，以不能傳之是故工之所以異也，然而不形見於外，故俱

不能見也。良工觀於冥冥，所以觀之，恐其無形，謂不可知者也視之無形，嘗之無味，故曰

冥冥，若神髣髴。冥冥道非直目之所可得見，然非言所得之味，若能以神髣髴，是可得也，此道猶是

黃帝之素昧刃處，通之於髣髴之虛邪者，八正之虛邪氣也。正邪者，身

形飢若用力，汗出，腠理開，逢虛風，其中人也微，故莫

知其情，莫見其形。其中人微，故曰……腠理開，逢虛風入時難知，故曰冥冥也

上工救其萌牙，必先知三部九候之氣，盡調不敗

救一萌牙未病之病，病之微也，先知三部……

上工救其萌芽，必先知三部九候之氣，盡調不敗救之。（萌牙未病之病，病之微也。先知三部九候調之，即療其微，故不敗也。）故曰下工救其已成者，言不知三部九候之氣，以相失，有因而疾敗之。（疾者言其敗也。）知其所在者，知診三部九候之病脈處而治之，故曰守其門戶焉，莫知其情，而見其邪形也。（但察三部九候得其病脈，見其邪形即便療之，以守其門戶，六腑內外情者也。）

黃帝問於岐伯曰：余聞補寫，未得其意。岐伯曰：寫必用方，方者，以氣方盛也，以月方滿也，以日方溫也，以身方定也，以息方吸也，而內鍼，（方亦也，氣正盛時，月正滿日時，正溫時，身）乃復候其方吸而轉方溫也以身方定也以息方吸而內鍼方亡也氣正盛時月正滿日時正溫時身正乃安時息正吸時此之五正是內針時也乃復候其方吸而轉鍼之此之一正是乃轉針時也乃復候其方呼而徐引鍼故曰寫必用方其氣乃行焉此之三正是出針時也用七者所以氣行出也補者必用其員者行也行者移也刺必中其營復以吸也員者行移使之為責也行補之法刺中營氣留藏補已因吸出針移氣使氣安其處也故員與方也排鍼也員之与方行針二法行補瀉針爲補寫之養神者必知形之肥瘦營衛血氣之盛衰血氣者人之神不可不謹養也養神之道ㄴ者須知形肥瘦二者須知營衛二氣所行得失三者須知然後爲有道可以長命也妙者言

至氣之メ之〻不可不謂著也　此處二者須知營衛二
氣所〻行得失三者須知經絡互有盛衰知此三者調之神自養〻
黃帝曰妙哉論也　妙哉言得其神
之精〻秘〻之也　謂合人形於陰陽四時虛實之應冥〻之期其非
夫子孰能通之　語孰妙之道以人形合於陰陽一也合於四時二也合於虛實三也合於冥
〻四也非夫子〻窮理極〻〻之道孰〻能〻為此論之也　然夫子數言形與神何謂形〻
何謂神願卒聞之　知形為麤知神為細〻莫難故〻問之者　岐伯曰請言形
形乎形目冥〻　形乎形者言唯知病之形〻〻不見其妙故曰冥〻也　問其所病索
之於經慧然在前　言觀色知問病所以欲索〻經脈〻何能知其病之在而　按之不得
復〻〻〻〻〻〻　按人迷寸口不知病〻〻〻可[illegible]

之於經慧然在前 經脈何能知其病之在而 按之不得

復不知其情故曰形 按人迎寸口不知病情故但知形之 黃帝曰何謂

神岐伯曰請言神〻乎神不聞目明心開為

志先 能知心神之妙故〻謂於神也神知則既聞耳目所得皆是心眼開於志意之先耳 慧然

獨悟口弗能言 神〻得淵明言名之所不能及也 俱見獨見 衆庶俱見而我獨見

適若昏昭然獨明若風吹雲故曰神 適將若在昏中昭然獨明又解

雲散徐若風吹雲如斯混黃目謂之神也 三部九候為之原九鍼之論不必

存之 三部九候為神得之原九鍼之論從而易行故不必存之也

[illegible]脈論篇

移之 莊而易行，故不必存之也

真邪補寫

黃帝問於岐伯曰：余聞九鍼九篇，夫子乃因而九之，九九八十一篇，余盡通其意矣。八十一篇者，此經之類，所知之書篇數也。經言氣之盛衰，左右傾移，以上調下，以左調右，有餘不足，補寫於滎輸，余皆以知之矣。言前所知書中義也。此皆營衛之氣傾移、虛實之所生也，非邪氣之從外入於經也。余願聞邪氣之在經也，其病人何如？取之奈何？言前八十一篇所說之義，与余問異者。

之從外入於經也余願聞邪氣之在經也其病人何如取之奈何言前八十一篇所說之義与余昔著經所說之道十二經脈營衛二氣之互相傾移虛實所生之言外邪入經為病故令請之岐伯對曰夫聖人之起度數必應天地起於人身法度以應天地之也故天有宿度地有經水人有經脈天地和溫則經水安靜天寒地凍則經水凝泣天暑地熱則經水沸溢卒風暴起則經水波涌而隴起言天地陰陽氣之度數之也夫邪之入於脈也寒則血凝泣暑則氣血淖澤言人之身應寒暑度數虛邪因而入客亦如經水之得風也當暑之時腠理開發邪

凝泣々暑則氣淖澤　寒暑有度數　虛邪因而

入客也，亦如經水之得風也　當暑之時，腠理開發，邪　汗出也，邪入脈，變如

風動水　皆也　經之動脈，其至也亦時隴起　十二經之動脈，至　於動處，動也，邪

氣至時亦時有隴　起隴者，邪風動正氣　其行於脈中循々然　牛忿反　輴車前

輴，車上輴車行也，脈循脈行　曰輴。有本作揗，循之也　其至寸口也，時大時小々大々

則邪至，小々則平　邪氣循營氣至於寸口，故太陰脈　大，無邪則太陰脈手和，故曰小也　其

行無常處，在陰與陽，不可為度　尺脈為陰，寸口　為陽，今邪入變

亂而難知，故　不可為度也　循而察之，三部九候，卒然逢之，蚤遏

其路，吸則內鍼，無令氣忤　當察循三部九候於忽微

不可為度也從而察之三部九候卒然逢之早遏

其路吸則内鍼無令氣忤皆察脩三部九候於[illegible] [illegible]卒然逢之知病處

所即於可刺之穴以指按之令得遇因病人吸氣内針無令邪氣於逆忤之也靜以久留無令邪

布吸則轉針以得氣為故候呼引針呼盡

乃去大氣皆出故命曰瀉靜而針於穴中按之令邪氣散布餘[illegible]

因病人吸氣轉針待邪氣至臧盡已除引出針邪之大氣皆盡因名為瀉之也黄帝曰不足

者補之奈何岐伯曰必先捫而循之先上下捫循知病所在一切

而散之以指擿切令邪散[illegible]推而按之推而令動以[illegible]按[illegible]彈而怒之以指彈之

使其瞋[illegible]而下之以手[illegible]按令其瞋[illegible]得下通而[illegible]

而散之邪不散，二。推而按之手堅按，三。彈而怒之彈之，
使其瞋憤，四也。搔而下之以手搔摩，令其瞋憤，得下。一曰彈搯已，搯令下之，五也。通而取
之切按，按而氣將通，已然後取之，六也。外引其門，以閉其神疾出針已，非泄
開門，使邪氣不出，將要正氣，七也。針之先後有此七法也。呼盡內鍼一呼一內，故曰呼盡。內針至分寸處也。
之靜以久留，以氣至為故，如待所貴，不知日暮俑亂
如待情之所貴之者，以得為期之。其氣以至，適人自護其正氣已至，適人自當愛護，勿令泄也。
候吸引針，氣不得出，各在其處，推闔其門，令神
氣存，故命曰補候病人吸氣，疾引其針，邪不得使正氣泄，令各在其所居之處，速閉其門，因
名曰補。寫必吸入呼出，欲洩其邪氣也，[illegible]

氣存故命曰補 氣洩令蓄在其所虛之處速閉其門當

名曰補寫必吸入呼出欲洩其邪氣也補必呼入吸出欲閉其正氣不令出也 黃帝問於岐伯曰候

氣奈何岐伯曰夫邪氣去絡入於經也合於血脈

中其寒溫未和如涌波之起也時來時去故不

常在故曰方其來也必按而止之止而取之

無逢其衝而寫之 外邪入身先至皮毛絡中留而不瀉去絡入經其入經也与經中血氣未合邪之寒溫未与正氣納得遂波涌而起去來不常居也故候逢之按使邪氣不動然後以針刺之不得刺其盛衝寫比之未響逢了之陳

真氣者經氣經氣大虛故曰其來不可逢此

之謂也 經氣者謂十二經脈正氣者也正氣大虛与

陳其氣者以氣□氣大虛故曰其來不可逢此
之謂也經氣者謂十二經脈正氣者也邪氣大虛與俱至宜按取邪氣刺之不可逢而刺也故曰候
邪不審大氣已過寫之則真氣脫脫則不復邪
氣復至而病益蓄故曰其往不可追此之謂候邪不審大氣已過寫之則
者刺之則脫真氣邪氣更至病益蓄故曰邪氣往而不可追也不可挂以髮者待邪
之至時而發針寫矣若先若後者血氣已盡其病
不下故曰知其可取如發機不知其取如扣椎
故曰知機之道不可挂以髮不知機者扣之不發此之
謂也以毛髮挂機發速而往言氣至黃帝問曰補寫奈

故曰知機之道者不可掛以髮不知機者扣之不發此之謂也以色脈補持氣速而生言氣至智者審針去來不失時之也黃帝問曰補寫奈何岐伯對曰此攻邪也疾出以去盛血而復其真氣屈之是邪故稱去并攻也寫要之法不可久留疾出其針去其盛血復其真氣瀉之也此邪新客未有定處推之則前引之則止逆而刺之溫血也刺出其血其痛立已黃帝曰善定處積為病也區處也邪之新入未有定處有積聚者刺之則愈黃帝問於岐伯曰真邪以合波隴不起候之奈何前言真邪未合有波隴起未知真邪已共其氣何如也岐伯曰審捫循三部九候之盛虛而調[illegible]

其氣何如也　以候[illegible]

調之察其左右上下相失及相𠭊者審其病

藏以期之　察其左右·謂察三部九候左右兩廂頭及手足上下具脉有相失及相𠭊以次審於五藏之病乃之死生之期也

不知三部者陰陽不別天地不分　不知天爲陽也地爲陰也人爲陰陽也故曰不別氣也不分者·不分別之也

地以候天地以候地天人以候人

調之中府以定三部　是厥陰天足少陰地足太陰人以候肝腎脾胃三種地也手太陰天手陽明地手少陰人以候肺胷心三種人也兩額動脈之天兩頰動脈之地耳前動脈之人以候頭角口齒耳目三種天也中府五藏也欲調五藏之氣取定天地人三部九候之也

故曰刺不知三部九候病脈之

處雖有大過且至工不能禁也

天地人三部九候之也　故曰刺不知三部九候病脈之

處雖有大過且至工不能禁也誅罰無罪命曰

大惑　病脈之處所尤元候經絡脈之居脈以不知病脈則雖有　死過之處雖工之賢亦不能禁也誅罰生人不知無過罪

曰大惑不知三部九候　大惑罪有六種也　反亂大經真不可復　亂經損真　罪之一也

用實為虛以邪為真　實為邪虛真　罪之二也　用鍼無義反為氣

賊奪人正氣　義理之用針不知正理反為氣　賊傷人正氣罪之三也　以順為逆營

衛散亂　針道為順錯行為逆則　營衛散令其亂罪之四也　真氣已失邪獨內

著　正已得邪　罪之五也　絕人長命予人夭殃故不知三部九候

不能久長　予夭殃失人罪之六絕人長命　又有三不知

著脈之五也絶人長命予人夭殃故不知三部九候

不能長久氣散失人脈之六絶人長命又有三不知三部九候所以絶人長命一也之因不知

合之四時五行不知以身命合四時五行故絶人長命二也因加相勝釋邪

攻正故絶人長命矣愚醫不知年加之禁及邪攻正氣故絶人長命三也長命者盡壽也

邪新客來也未有定處推之則前引之則止逆

而寫之其病立已言知三部九候取之出動之

虛實補寫

黃帝問於岐伯曰余聞刺法言有餘寫之不足

補之何謂有餘何謂不足一爲刺之道唯有補法余已略

補之何謂有餘何謂不足為判之道唯有補法余已略聞然未志之故曰何謂也

岐伯對曰有餘有五不足又有五帝欲何問乎举五欲也

黄帝曰願盡聞之問五數也岐伯對曰神有餘有不足氣有餘有不足血有餘有不足形有餘有不足志有餘有不足列五數也凡此十者其氣不等也神氣血形志各有補寫故有十數兄一々等又此十種補寫[illegible]理以論隨氣海行變化無窮故曰不等

黄帝問曰人有精氣津液四支九竅五藏十六部三百六

十五節乃生百病，百病之生皆有虛實。今夫子乃言有餘有五，不足亦有五，何以生之乎？九竅五藏以為十四，四之文合乎？是故有十六部，如此人身之數，皆有虛實，有餘不足者，是生很多，未知生病其數何如之也。岐伯對曰：皆生於五藏。五藏為身之內主，眾端身病無所不盡，故曰皆生五藏也。夫心藏神，心藏神者，心藏於脈以舍神，今藏神者言所舍也。肺藏氣，肺藏氣者，肺藏於氣，氣以舍魄，今藏氣者，言其舍也。肝藏血，肝藏於血，血以舍魂，今藏血者亦言其舍。脾藏肉，脾藏肉者，脾主於肉，故曰藏肉，非正藏肉。脾藏於營，以營為正也。脾藏營，營以舍意及智二神，以脾營血穀氣最大，故二神舍也。腎藏志，而此成形。腎藏志者，腎藏於精，精以舍志，今藏志者，言所舍也。腎有二枚，腎藏志也此所神以脾營血穀氣最大故二神合也所藏志者腎最大精〻以舍志令藏志者言所舍也腎有二枚在左為腎在右為命門腎以藏志命門藏精故曰腎藏精者也八十一難精亦名神故有七神又此五藏心藏脈者脈通經絡血氣者也脾藏營者通營之血氣者也肝藏血者言其血有養眼之明也五神藏於五藏而共成身形也志意通內連骨髓而成身形五藏意是脾神通於營氣志是腎神通於三膲原氣別使皆以內連骨髓成身形及以五藏故志意者所以御〻精神收魂魄者也五藏之道皆出於經隧以行血氣五藏之道皆出於十二經絡之隧以行營血衛氣也血氣不和百病乃化變而生於血氣故守經隧焉營衛不和百病變生血氣之中故守經隧以調血氣者也之黃帝曰：神有餘不足何如岐伯對曰神有餘則笑不休神

……故守經隧以調血氣者也黄帝曰神有餘不足何如岐伯對曰神有餘則笑不休神不足則憂神有余不足憂笑皆神病候之也血氣未并五藏安定神不定則邪客於形洒淅起於豪毛未入於經絡也故命曰神之微以下言神病微也夫神者身之主也故神順理而動則其神必安神安則百體和適々和則腠理固々密々則風寒暑濕無如之何故終天年如無不道背也喜怒神々任情則哀樂姿々作々則喜怒動々則腠理開々發々腠理開則邪氣々々入々為災遂成百病大者夭年也既不能善攝而病生者可除於微々故邪之初客於則始在皮毛未入經脉内則血々氣未并補寫五藏安定洒淅起於豪毛名曰神之微病也洒謂毛孔也水逆流曰淅謂邪氣也邪氣入於腠理時如水逆流[illegible]

神之微病也。洫謂毛孔也。水逆流曰泝，謂邪氣也。邪氣入於腠理時，如水逆流於洫之也。黃帝問曰：補寫奈何？岐伯對曰：神有餘，則寫其小胳之血出血，勿之深斥，毋中其大經，神氣乃平。斥，齒亦反，推也。勿深推也。神之有餘，氣溢，故刺小胳出血也。斥者，深則中其大經者也。之神不足，視其虛胳，切而致之，刺而利之，毋出其血，毋泄其氣，以通其經，神氣乃平。神之不足則虛，故刺而不泄也。黃帝曰：刺微奈何？岐伯對曰：按摩勿釋，著鍼勿斥，微，即未藏之病也。夫和氣之要，莫先按摩，以手按摩之，邪氣得泄，神氣得通，邪得泄，何得須又鍼斥之？移氣[illegible]，神氣乃得復。[illegible]按摩使神氣至，鍼則

之耶氣得泄，神氣得通，藏耶得泄，何得須以鍼写之朱

氣足，神氣乃得復。黄帝曰：善。（接摩使神氣至，隨則耶氣從道去之也）

黄帝曰：氣有餘不足奈何？岐伯對曰：氣有餘則

喘咳上氣，不足則息利少氣。（息利少氣，以肺氣不足，則出入

易，故呼吸氣少而利之也）血氣未并，五藏安定，（以下言其氣微也）皮

膚微病，命曰白氣微泄。（肺藏外主皮膚，內主於氣，今外言其皮膚病，其內言於氣之

微病，五色之氣中肺爲白氣泄，故肺氣泄也）黄帝曰：補寫奈何？岐伯對曰：氣

有餘則寫其經隧，（經隧者，手太陰之別，從手太陰走手陽明，故是手太陰向手陽明也。

之道，無曰經隧，隧，道也，欲道藏府陰陽也。[illegible][illegible][illegible]寫其

有餘則寫其經隧手陽明及是手太陰向手陽明也

之道故曰經隧々道々以欲通藏府陰陽故補寫之守取其正經別走之脈之也無傷其經寫其陰絡

別走之絡不得傷正經者無出其血無泄其氣寫太陰別走經隧者不得出血泄氣也所

謂寫陰實者也不足者則補其經隧無出其氣刺太陰經之別走之

絡以補太陰不令氣洩於外々細補陰虛也補寫陽經亦如陰經法也黃帝曰刺微奈何

岐伯曰按摩勿釋出鍼視之曰我將深之適

人必革精自伏擇得處也革改也夫人聞樂革身志欲恍聞痛惡體情欲々於收撓則百體俱

縱改革精志以推々則邪精消伏之也邪氣亂散無所休息邪氣伏已邪精散於腠理

無由更亂氣泄腠理真氣乃相得邪氣散

則邪精消伏之也。適人必革[illegible]所休息 精散於腠理无由更泄也 氣泄腠理，真氣乃相得。黄帝曰：善。邪氣散泄，故真氣無亂，所以相得之也 黄帝曰：血有餘不足奈何？岐伯對曰：血有餘則怒，不足則悲。肝血有餘於肝，所以喜怒；血不足於肝，所以多悲也 血氣未并，五藏安定，孫胳外溢，則經有留血。言血微邪之也 黄帝曰：補瀉奈何？岐伯對曰：血有餘則瀉其盛經，出其血；不足則補其虚經。瀉其盛經出血，所以不怒；正補其虚，令不泄血，所以不悲。有本視其虚經也 內鍼其脉中，久留血至，脉大疾出其鍼，毋令血泄。內針至厥路脉中，血至針下聚而脉

有本視其虛經也　內鍼其脈中[illegible]

其鍼無令血泄　內針足厥陰脈中血至針下聚而脈大疾出其針勿令血泄所以補瘀也　黃

帝曰刺留血奈何岐伯對曰視其血絡刺出其血

無令惡血得入於經以成其疾黃帝曰善　刺去血脈遂无

令惡血入經中故無血刑藏病也　黃帝曰形有餘不足奈何岐伯

對曰形有餘則腹脹涇溲不利不足則四支不用

形者脈肉筋之八狀名形舉體皆名四支不隨也有本經溲者經即婦人月經也之　血氣未并

五藏安定肌肉蠕動命曰微風　蠕動者以體居皇藏腠理內動名曰微風之也

黃帝曰補寫奈何岐伯對曰[illegible]

藏安定肌肉蠕動命曰微風 腠理内動名曰微風之也

黄帝曰補寫柰何岐伯對曰形有餘則寫其陽經不足則補其陽絡 陽經絡足陽明經及絡也或為陽經非也之 黄帝曰刺微柰何岐伯對曰取分肉間毋中經毋傷其絡 可中分肉之間衛氣不可傷足陽明經絡之脉也 衛氣得復邪氣乃索黄帝曰善 分肉之間衛氣行處邪氣已散衛氣復得也遠散也 黄帝曰志有餘不足柰何岐伯對曰志有餘則腹脹飧泄 志腎神氣也有餘所以腹脹滿飲食不消為飧泄也 不足則厥 足逆冷也 血氣未并五藏安定骨節有動 骨節動若（？） 黄帝曰補寫柰何岐伯對曰

泄也不足則厥答也血氣未并五藏安定骨節有動（骨節動若附 志病微也之）黃帝曰補寫奈何岐伯對曰志有餘則寫然筋血者出其血不足則補其復溜（然筋足少陰營在足内踝之下名曰然谷足少陰經無然筋當是然谷下筋也復溜足少陰經在足内踝上三寸此二皆是志之腧穴故瀉經筋之血補復溜之氣）黃帝曰刺未并奈何岐伯對曰即取之毋中其經以邪乃能立虛（未并）黃帝曰善（若志微病以病是微未中於經但刺經氣所微之穴瀉氣立虛者也）

虛實所生

黃帝曰余已聞虛實之形不知其何以生（形狀也）

虛實所生

黄帝曰：余以聞虛實之形，不知其何以生。形狀也。虛實之狀已聞於上，虛實所生猶未知之，故復請也。岐伯對曰：氣血以并，陰陽相傾，氣亂於衛，血留於經。十二經氣亂，衛氣也；十二經血留於營經也。或曰逆流也。血氣離居，一實一虛。血氣相并，離於本居處，故各有虛實也。夫血氣者，異名同類，相得誠和，今既相并，一寄一虛，虛實所生，是所由皆也。血并於陰，足太陰脈及足少陰脈也。氣并於陽，乃為驚狂。氣并足陽明脈及足太陽脈也。血氣皆盛，故發驚狂也。血并於陽，氣并於陰，乃為炅中。血并足陽明，氣并足太陰，為熱中病也。血并於上，氣并於下，心煩惋善怒。血盛上衝血并於陽氣并於陰乃爲炅中足太陰爲熱中病也炅熱也血并於上氣并於心下煩惋善怒血盛上衝心故心煩悶所以善怒悅則悶同也血并於下氣并於上氣亂心善忘氣盛亂心故善忘也黃帝曰血并於陰氣并於陽如是血氣離居何者爲實何者爲虛血氣離居相并未知二經虛實何定也岐伯對曰血氣者喜溫而惡寒寒則泣不能流溫則消而去之是故氣之所并爲血虛血之所并爲氣虛也血與氣皆惡於寒故脈有寒則澀而不流溫皆行釋而去是以氣寒則血來并走以爲血虛則氣爲實也若血寒則黃帝曰人之所有

并為氣虛也。不流，溫則行，釋而去，是以氣寒則血來并之，以為血虛則氣為實也；若血寒則氣來并之，以為氣虛則血為實也。

黄帝曰：人之所有者，血与氣耳。今夫子乃言血并為虛，氣并為虛，是無實乎？人之所有，唯血与氣，今但言血氣有虛，不言其實，是為人之血氣不足，請申其意也。

岐伯對曰：有者為實，無者為虛，故氣并則無血，血并則無氣，今血与氣相失，故為虛焉。血并則血有氣無，氣并則氣有血無，是以言虛不無其實，皆實不藏有虛，故在此來當無血氣也。所言虛者，血氣相并相失為虛，相得為實乎也。

絡之与孫脈俱輸於經，大絡孫絡俱輸血氣入於大經，則大經血氣俱實者也。

血与氣并則為實焉，血之与氣并走於上則為

用之上取用俱有者[illegible]經則大經血氣俱實者也
血与氣則為實焉血与氣并走於上則為大
厥〻則暴死復反則生不反則死大經血氣皆實走膈以上〻下無之矣
故手足還冷率暴死也手足之還復生不還則死也黃帝曰實者何道從來虛
者何道從去虛實之要願聞其故血氣何道來入此經為實何道
而去此經為虛也岐伯對曰夫陰与陽皆有輸會陽注於
陰〻滿之外藏府陰陽之脈皆有別走輸會相通如是陽明經走陰之經別走太〻陰〻從[illegible]之穴別
走之陽明故曰之外也陰陽旬平以充其形甲子十日一匝為旬〻匝也陰陽之脈五十
匝無多少者名曰旬平〻九[illegible]若一命曰平人九候之動不失

故曰之外也陰陽色年、衆其形運也。陰陽之脈五十運無多少者名曰句平〻〻和氣以充其身被也九候如一命曰平人九候之動不先後又不相反故曰若一和氣若一故人得和平夫邪之至生也或生於陰或生於陽其生於陽者得之風雨寒暑其生於陰者得之飲食居處陰陽喜怒陰五藏也陽六府也風雨寒暑外邪緣外先來六府故曰生於陽也飲食起處男女喜怒内邪生於五藏故曰生於陰也黃帝曰風雨寒暑之傷人奈何岐伯對曰風雨之傷人也先客於皮膚傳入於孫脈孫脈滿則傳入於絡〻脈〻滿乃輸於大經脈血氣與邪并[illegible]間其脈[illegible]大

[illegible]

脉血氣与邪并客於分腠之閒，其脉堅大，故曰

實。此先言風雨二邪也。人因飢虚汗出，腠理開發，風雨之氣因客腠理，故入孫絡，〻〻既〻大絡，〻〻入大經，客腠理時所

客之脉堅而且大，故得稱實也。實者外堅充滿，不可按〻之則痛。

所客之處外堅，按之心痛，以其氣實故也。黄帝曰：寒濕之氣傷人奈何？岐

伯對曰：寒濕之中人也，皮膚收，肌肉堅，營血泣，衛

氣去，故曰虚也。此論寒濕之氣也，而氣上傷，濕氣下入，有斯異也。皆不言暑耳，寒濕中之致虚有四。

皮膚收者，言皮膚急而聚也。肌肉堅者，肌肉堅而不通也。營

血泣者，邪氣至於脉〻中，故營血泣也。衛氣去者，邪氣至於脉

外，衛氣不行，故曰去。[illegible]

血泣若邪氣至於脈〃故營血泣也衛氣去者邪氣至於膜
外衛氣不行故曰虛也衛去之處即為虛也虛者攝辟氣不足血泣攝紩皺叠肉間無衛
氣謂氣不足也按之則氣足以溫之故快然而不痛黃帝曰
善分肉之間既無衛氣故寒按之蓄積所以氣足又溫故快然也黃帝曰陰之生實奈
何岐伯對曰喜怒不節則陰氣上逆〃〃則下〃虛
〃則陽氣走之故曰實人有喜怒不能自節故怒則陰氣上陰氣上則上逆或歐血或不能食
陰氣既上是則下〃虛〃則陽氣乘之故名為陰實也黃帝曰陰之生虛奈何
岐伯對曰喜則氣下天寒則氣聚溫則氣散怒則氣上喜則氣下此物理之常也喜則氣和
志達營衛之行易則氣消〃則脈虛〃則[illegible]

岐伯對曰：喜則氣下。喜則氣下，此物理之常也。喜則氣和志達，營衛之行通利，故緩而下也。悲則氣消，消則脈虛，因寒飲食，寒氣熏藏，則血泣氣去，故曰虛之。夫人悲者，則心系急，肺布葉舉，而雖不通，營衛不行，營氣在中，故正氣消散，經絡空虛也。又因寒飲寒食，寒氣熏藏，藏之血泣，其氣旋去，故為虛之也。黃帝曰：經言陽虛則外寒，陰虛則內熱，注：言八十一篇經也。府脈虛者，陰氣乘之，故外寒也。藏脈虛，陽氣乘之，故內熱也。陽盛則外熱，陰盛則內寒，余以聞之矣，不知其所由然。六府主外為陽，故陽盛外熱也。五藏主內為陰，故陰盛為寒。余已前聞，然未知所由然也。岐伯對曰：陽受氣於上焦，以溫皮膚分肉之間，令寒氣在外則上焦不通，則上[illegible]

然也 [illegible] 上膲 [illegible] 膚分肉之間今

寒氣在外則上膲不〻通〻則寒獨留於外故寒慄

陽衛氣也衛出上膲衛行陽廿五周以溫皮膚分肉之間今陽虛陰盛寒留於外故外寒也

黃帝曰陰虛生内熱奈何岐伯對曰有所勞倦形氣衰少穀氣不盛上膲不行下脘不通胃熱熏中故内熱

内熱之病所由有五一則有所勞倦致虛二則形體及氣不足三則胃中無食四則上膲衛氣不行五則腸胃不得相通脘古錧又胃也下脘胃下口也由此五種胃熱熏中故内熱之也

黃帝曰陽盛而外熱奈何岐伯對曰上膲不通利皮膚緻密腠理閉塞不通衛氣不得泄越故外熱

外熱之所由有三上膲出氣之處不通利一也皮

泄越故外熱 外熱之所由有三上焦不通利一也皮膚緻密腠理閉二也衛氣不得泄越三也有此所由故外熱也 黃帝曰陰盛而生內寒奈何岐伯對曰厥氣上逆寒氣積於胸中而不瀉〻〻則溫氣去寒獨留則血〻凝泣〻則脈不通其脈盛大以濇故中寒 〻中有四一則寒厥積胸二則溫去寒留三則血凝脈壅四則脈大汗澀有此所由故寒中也 黃帝曰陰之與陽血氣以并病形以成刺之奈何 問療已成之病 岐伯對曰刺此者取之經隧取血於營取氣於衛用形哉因四時多少高下 刺已成病法有三別一則刺於大

[illegible]此者取之經隧取血於營取氣於衛用

形哉因四時少多高下刺已成病法有三別一則刺於大經別走之〻道隧道也別走之〻道通陰

陽道也二則刺於脈中營血三則刺於脈外衛氣用針之狀須因四時之氣觀病輕重義針多少又須量病高下所在取之令

中不同刺微之易也黃帝曰血氣以并病形以成陰陽相傾補

寫奈何岐伯對曰寫實者氣盛乃內鍼夫寫者以其邪氣實盛故須寫

也仍以掐之令下無陂刺之不盛何寫故譬無擊逢逢之陳者也鍼與氣俱內以開其門

如利其戶鍼與氣俱出精氣不傷邪氣乃下外門

不閉以出其病搖大其道如利其路是謂大寫

必切而出大氣乃屈人之吸氣身上有孔開處皆入聚

大風之至其病從大甚近如和其歐是謂大區

必切而出大一氣乃屈 人之吸氣身上有孔閉處皆入聚於臂肝罕聚之時有孔所處氣守從心歸而出比囊之呼吸也鍼閉孔時病人吸氣故針与氣俱入內也針得入已核大其穴因呼出針故針与邪氣俱出句傷三氣也 黃帝曰補虛奈何岐伯對曰特針向置以定其意 特鍼而置於內中先須安神定意然後下針若醫者志意散亂針下氣之虛實有無特不得知故須定意也 候呼內鍼 人之呼氣身上有孔其氣皆出故所鍼孔氣出之時內針欲令有氣從針而入不使氣泄所以候呼內針者也 氣出鍼入鍼空四塞精無從去 呼氣出時針入穴者欲使鍼空四塞不泄正氣也 方實而疾出鍼氣入針出 方正也使氣正實疾出之針眼 支屢者多寒得熱為補揉轉也鍼

四塞不減正氣[illegible]實所疾出鍼[illegible]鍼之使氣

四實疾出針勢不得環夫屋者多寒得熱爲補深轉也疾出於針使鍼下熱氣不得轉也閉塞其門邪氣布散精氣乃得存動無後時之出針已去穀邪未出晝自致布散消已精氣獨在無病動於後時之也近氣不失遠氣乃來是謂追之行補之法非其補處近氣不失遠氣至來集集也已集之氣引令實故曰追也

黄帝曰夫子言虚實有十生於五藏五脈耳夫十二經脈皆生其病今夫子獨言五藏夫十二經脈者皆絡三百六十五節節有病必被經脈經脈之病皆

節節氣穴也但十二經脈絡三百

有虛實何以合之節所氣穴也但十二經脉積三百六十五穴則三百六十五穴所生之病甚多非唯五藏五脉獨生十種虛實者岐伯對曰五藏者故得六府与為表裏脉支節各生虛實内有五藏外有六府藏經脉表裏諸支節虛實甚亦甚多不相遠也視其病所居隨而調之病在血調之脉病在氣調之衛病在内調之分肉病在筋調之筋燔鍼劫刺其下及与急者視三百六十五節所病生類虛實其虛實隨而調之調者調於五藏所主脉衛分肉筋骨者也病在骨卒鍼藥

於五藏所主脈衝之所病骨者也　病在骨焠鍼藥

熨　焠，爇也。痛痺在骨，窮針深之至骨，出針以藥熨之，以骨病痛痺所故也。熨法上經已說也之　病不知

其所痛，兩蹻爲上　旨骨病不定，知於病之所在者，可取足少陰兩〻陰〻蹻〻是足少陰別足少害陰脈之骨者也。上者，蹻也。　身形有痛，九候莫病，則繆刺之　三部九候竟無病狀，故身形有痛者，此絡左右有痛，下繆刺也。　痛在於左而右脈

病者，則巨刺之　痛在左經，是右經病也，故刺右經爲巨刺也。　必謹察其

九候，鍼道備矣　巨刺之道，以察九候爲先，針道畢來也。

黃帝內經太素卷第[illegible]

黄帝内經太素卷第廿四

仁安三年四月廿八日以同本書之　丹波頼基

以同本移點校合了

保元二年三月八日以家本移點校合了　憲基

黄帝内經太素卷苐廿五

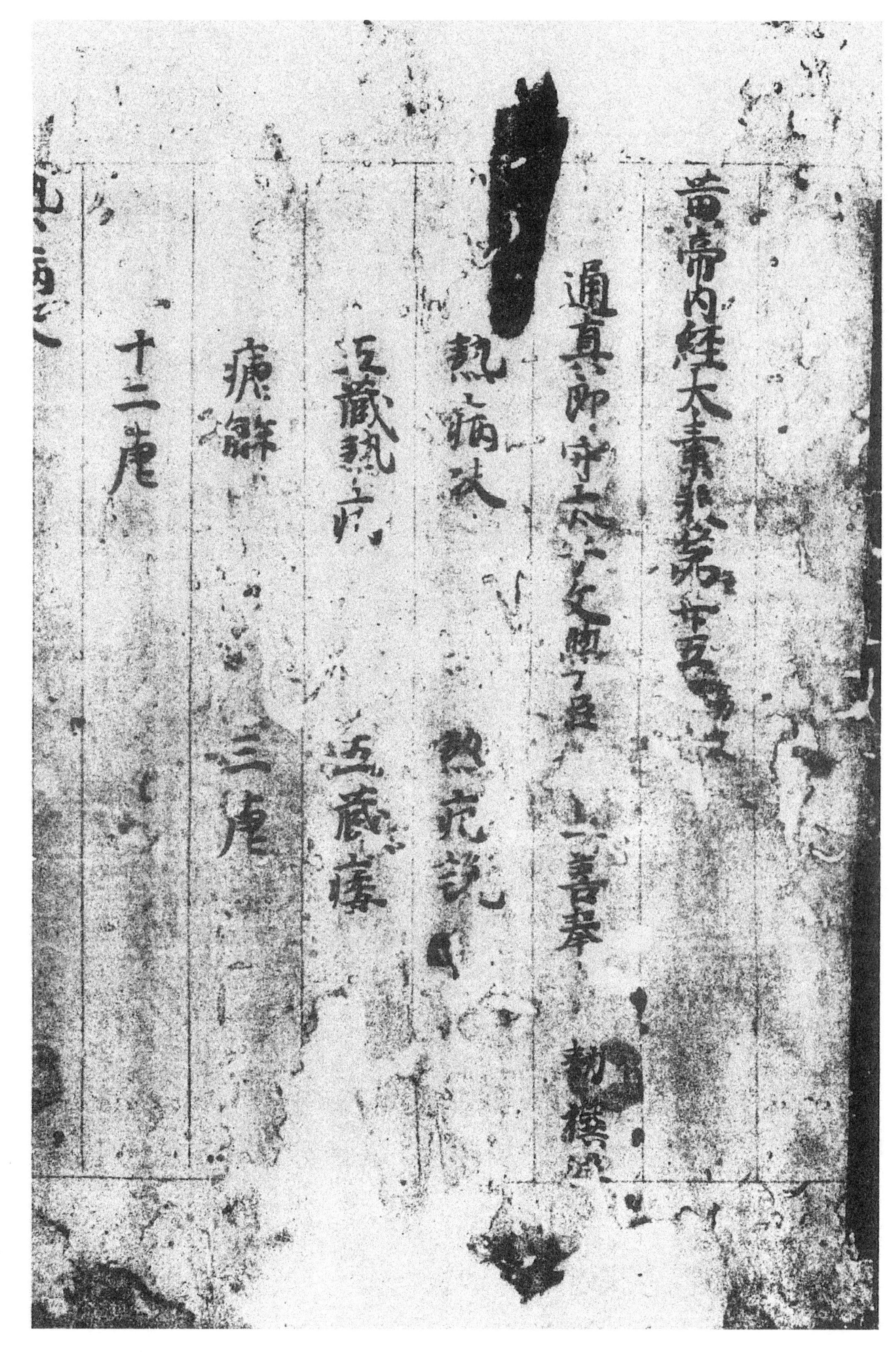

黃帝内經太素卷第廿五

通直郎守太子文學臣楊上善奉　勅撰注

熱病決　　熱病說

五藏熱病　　五藏痿

瘧解　　三瘧

十二瘧

熱病決

黃帝問於歧伯曰今夫熱病者皆傷寒之類也

七傷寒有人以冬時温室温衣熱飲食勝羽猪義怪意受寒腠理開塞居甘寒極處逃三陰三陽之脉五藏六府受熱爲病名曰熱病斯之熱病本因受寒傷多亦爲寒氣所傷得此熱病以本爲名故稱此熱病傷寒所也故曰冬傷於寒春爲温病也其病夏至前發者名爲病温夏至後發者名爲病暑也

或愈或死皆以病六七日閒

陰陽二經同感三日而病藏府營衛不通復得三日故經後三日一以日則死也

其愈皆以

陽得三日故熱從後三日可以[illegible]日則死也

其愈皆以十日以上何也不知其解

願聞其故其不至藏府兩感於寒者至日即太陽病衰至九日三陽病衰至十日太陰病衰至十二日三陰三陽之病皆衰故曰其愈皆十日以上其理未通故請聞之也

岐伯對曰巨陽者諸陽之屬也巨大也一陽為紀少陽也二陽為衛陽明也三陽為父太陽也故足太陽者二陽屬足故曰諸陽之屬也其脉連於風府故為諸陽主氣也人之傷於寒也

則為病熱熱雖甚不死其兩感於寒而

病者必不免於死足太陽脉直者從巔入絡腦還

病者必不免於死 足太陽脈直者從巔入絡腦還出別下項其風府在項入髮際一寸則太陽之氣連風府也諸陽者督脈陽維脈也督脈陽脈之海陽維維諸陽脈總會風府屬於太陽故足太陽脈為諸陽主氣所以人之此脈傷於寒者逆為熱病者也先發於陽後發於陰雖熱甚不死陰陽兩氣時感者不免死也

黃帝曰願聞其狀岐伯曰傷寒一日巨陽受之故頭項脊背皆痛 寒之傷多始於者初病發日必是太陽受熱之為病以又曰二日太陽受之所以一日陽明受脈不受熱者以其太陽主熱又傷寒熱加故太陽氣痛也頭項背脊腰是足太陽脈所行之處故皆痛也

二日陽明受之陽明

脉所行之處故皆痛也　二日陽明受之陽明

主肉其脉俠鼻絡於目故身熱而鼻乾不得卧

陽明二陽故次受病脾之太陰主肌胃足陽明主肉其
脉俠鼻絡目內眥下行入齒至足手陽明下[illegible]
上俠鼻孔故病身熱
鼻乾不得卧也　三日少陽受之少陽主

骨其脉循脅絡於耳故胸脅痛耳聾

脉足厥陰主筋三膲手少陽與膽脉合膽脉脅府表
裏故主骨足少陽起目兑眥入絡耳中下循胸脅下至前
手少陽偏屬三膲從耳後入
耳中故病耳聾胸脅痛也　三經皆受病而未入通於

府也故可汗而已

三經三陽經也熱在三陽經中未
滿三日未至於府當以針藥發

汗而已三經之病三日外生

病七日可下不已滿三日表至於府當以針藥矣汗而已三陰之病三日外至府可以湯藥洩而去四日太陰受之太陰脈布胃中絡於嗌故腹滿而嗌乾一陰獨使陰也二陰為雌少陰也三陰為母太陰也太陰為太故先受熱太陰脈從足入腹屬脾絡胃上鬲俠咽連舌本手太陰起於中焦下絡太腸故腹滿嗌乾也五日少陰受之少陰脈貫腎絡肺繫舌本故口熱舌乾而渴足之少陰直者從腎上貫肝膈入肺中循喉嚨俠舌本故口熱舌乾而渴也六日厥陰受病厥陰脈循陰器而絡於肝故煩滿而囊縮足之厥陰脈循陰器抵於少腹

□氣病厥陰脈循陰器而絡肝故煩

滿而囊縮足厥陰脈環陰器抵於少腹挾胃屬肝絡膽故煩滿囊縮也

三陰三陽五藏六府皆病營衛不行

府藏不通則死矣其不兩感於寒者七日巨

陽病衰頭痛少愈八日陽明病衰身

熱少愈九日少陽病衰耳聾微聞如此兩感三陰

三陽藏府皆病營衛閉塞故至後三日則死不兩病者至第七日太陽病衰至第九日少陽病衰也十日

太陰病衰腹減如故則思食飲欲食太陰脈主穀氣

故病愈腹減……

太陰病衰腹減如故則思飲食 主收氣

故病愈腹減思飲食也 十一日少陰病衰渴止不滿舌乾

已而欬 之少陰脈入肺侠舌本故病愈渴止舌乾已也欬者肺氣通也 十二日厥

陰病愈囊從少腹微下 厥陰之脈病大氣已去故囊漸下也

大氣皆去病日已矣 至十二日大邪之氣皆去故病日衰矣

黄帝曰治之奈何岐伯曰治之各通其藏脈

病日衰已 量其與病在何藏之脈知其所在而療之以行補寫之法病衰

其未滿三日者可汗而已其滿三日者

可泄而已 未滿三日熱在三陽之脈皮肉之間故

[illegible]

可泄而已未滿三日，熱在三陽之脈皮肉之間，故可汗而已也。三日以外，熱入藏府之中，可服湯藥泄而去也。黃帝曰：熱病已愈，時有所遺者，何也？岐伯曰：諸遺者，熱甚而強食之，故有所遺也。若此者，皆病已衰而熱有所藏，因其穀氣相薄，兩熱相合，故有所遺。穀多也。遺，餘也。大氣雖去，猶有殘熱在藏府之内外，因多食以穀氣熱，與故熱相薄，重發熱病，名曰餘熱病也。黃帝曰：善。治遺奈何？岐伯曰：視其虛實，調其逆順，可使必已遺者，雖已[illegible]

治遺奈何岐伯曰視其虚實調其逆順可使必已逆者雖已須者長已陰虚補之陽實寫之如此其病以爲工也黄帝曰病熱當何禁之岐伯曰病熱少愈食肉則復多食則遺此其禁也肉熱温穀故少食明復穀熱少肉故多食爲遺也黄帝曰其兩感於寒者其脉應與其病形如何足太陽足少陰表裏之氣俱傷於寒故曰兩感冬亡病感於寒以爲病者脉之應手及病形其事何如也岐伯曰兩傷於寒者病一日則巨陽与少陰俱病則頭痛口乾煩滿冬感寒時陰陽共感至其發時起同時發也故至春發一日則太陽少陰俱病也足太陽上頭故頭

陽俱病則頭[illegible]至其發時起自
時發也，故至春發。一日則太陽少陰俱病也。足太陽上頭，故頭
痛也。手少陰上俠咽，足少陰俠舌本，手太陽絡心循
[illegible]乾，令口乾。手少陰起於心，心系
陰，絡心；手太陽絡心，故令煩滿。病二日則陽明與
太陰俱病，則腹滿身熱，不食譫言。譫，諸閻反，多言也。手
陽明屬大腸，足陽明屬胃，足太陰屬脾絡胃，手
太陰絡大腸，循胃，故令腹滿身熱不食多言也。病三
日則少陽與厥陰俱病，則耳聾囊縮而厥，
漿不入，則不知人。手足少陽皆入耳中，故令耳聾。足
厥陰環陰器，足少陽繞毛際，手少
陽歷三焦，故令囊縮。厥逆，手少陽布膻中，足少陽下
胸中，足厥陰循喉嚨，手厥陰起胸中，屬心包，故令
漿水不下，六日[illegible]。三陰三陽俱病，氣不更[illegible]

氣中足厥陰脩唯纔從手厥陰起胃中屬心包故令

發狀不下不知人也六日而死三陰三陽俱病氣尔更經三日皆遍故六日死也黄帝

曰五藏已傷六府不通營衛不行如是之後三日乃死何也氣尔極都盡次府塞營衛停塞後三日死其故何也岐伯

曰陽明者十二經之長也其氣血盛故不知人三日其氣乃盡故死胃脈足陽明主穀血氣經賊十二經脈之主餘經脈穰此氣未窮雖不知人其氣未盡故更得三日方死也

熱病說

黄帝問於岐伯曰有病温者汗出輒復熱

熱病說

黄帝問於岐伯曰：有病溫者，汗出輒復熱，而脉躁疾，不爲汗衰，狂言不能食，病名爲何？岐伯曰：病名曰陰陽交，交者死。汗者陰液也，熱者陽盛氣也。陽盛則無汗，汗出則熱衰。今出而熱不衰者，是陽邪盛甚，復陰甚，而熱相交，故名陰陽交也。黄帝曰：願聞其說。請說陰陽交爭死之所由。岐伯曰：人所以汗出者，皆生於穀，穀生於精。今邪氣交爭於骨肉而得汗者，是邪卻而精勝，精勝也則當食而不復熱，復熱者邪氣也，汗者

於骨肉而得汗者是邪却而精
勝也則當食而不復熱〻者邪氣也汗者
精氣也今汗出而輒復熱者是邪勝也
精者穀之精液謂之汗也傷寒邪氣謂之熱也今邪
氣与精氣交爭於骨肉之間精勝則邪却邪勝則
精消今雖汗出而復熱者
是邪戰勝精故致死也不能食者精毋精毋
痺也而留者其壽可立而傷也熱邪既勝則
精〻液〻無〻
者唯有熱也痺熱也其熱留而不去
者其五藏六府盡可傷之謂食也是夫熱論曰
汗出而脈尚躁盛者死今脈不與汗相
應此不勝其病也其死明矣夫汗出則可

汗出而脈尚躁盛者死今脈不與汗相

應此不勝其病也其死明矣夫汗出則可脈靜今汗出脈猶躁盛是為邪勝明知定矣也狂言者是失志失志者死志者記也腎之神也腎間動氣人之生命動氣衰矣則志神去之故死也今見三死不見一生雖愈必死汗出而熱不去死有三候一不能食二脈躁三者失志汗出而熱有此三死之候未見一生之狀雖差必死又有三分之死未見一分之生也

黄帝問於岐伯曰有病身熱汗出煩滿煩滿不為汗解此為何病身熱煩滿當為汗解今不解故問

岐伯曰汗出而身熱者風也汗出而煩滿

煩滿不爲汗解此爲何病汗解今不解故問

岐伯曰汗出而身熱者風也汗出而煩滿不解者厥也病名曰風厥風熱開於腠理爲汗非精氣爲汗故身熱不解名爲風也煩心滿悶不解名厥病也有風有厥名曰風厥也問曰願聞之

荅曰巨陽主氣故先受邪少陰與其爲表裏也得熱則上從之從之則厥腎間動氣足太陽所立足太陽與足少陰表裏故太陽先受邪氣循脈而上於頭得熱則足太陽上者從之受熱邪爲上然下虛以逆厥逆汗出不解煩滿之病也問曰治之奈何荅曰表裏刺之飲之湯刺陰陽表裏之脈以攻其外

出不解煩滿之病也 問曰治之奈何荅曰表裏刺之飲之湯 下刺陰陽表裏之脉以攻其外飲之湯液以療其内此為療風欬之法也 黃帝問曰勞風為病何如岐伯曰勞風法在肺下其為病也使人強上冥視晚唾出若涕惡風而振寒此為勞中之病也 勞中得風為病名曰勞中亦曰勞風肺下病居處也強上好仰也冥視晚々還也謂合眼遥視不見也唾若涕若唾如膿也不用勞之風々即使振寒此為勞中病狀也 問曰治之奈何荅曰以救俛仰 此病々為俛仰故敝

之巨陽引精者三日中年者五日不精

問曰治之奈何岐伯曰以救俛仰 俛作故攸

之巨陽引精者三日中者五日不精者七

日欬出青黃涕其狀如膿大如彈丸

從口中若鼻孔中出不出則傷肺傷肺則

死 以針刺巨陽精者三日俛仰即愈刺陽明精者五日少陽不精刺之七日方有青黃濁涕從鼻口中出其病得愈若不出者上傷於肺不免死也

偏枯身偏不用而

痛言不變知一作亂病在分腠之間臥針

取之益其不足損其有餘乃可復也 偏枯

病有五別[illegible]病不取一也有偏不痛此不用弃

身之[illegible]枯

病有五別，以口偏一痱不收一也，有偏不痛，此不用并痛二也，其書不異於常三也，神智不亂四也，病在分肉間五也。具此五事，謂曰偏枯病也。痱為病也，身無痛者，四支不收，知亂不甚，其言微知，可治；甚則不能言，不可治也。痱狀非是風病也。痱風之狀，凡有四別：身無痛處一也，四支不收二也，神知不亂三也，不能言四也。具此四者，病甚不可療也。身雖無痛，四支不收，然神不亂，又少能言，此可療也。俗痱與病痱之名，字皆是近代鑿六朝來立名，非古典也。病先起於陽，後入於陰者，先取其陽，後取其陰，浮而取之。療法先取其太後取其標，不可

[illegible]

熱甚陰[illegible]其甚陽[illegible]而取之後取其標不可深取也

熱病三日而氣口靜人迎躁者取之諸陽五十九以寫其熱而出其汗實其陰以補其不足者三陽受病未入於陰至三日也未入於陰故氣口靜也三陽已病故人迎躁也人迎是之陽明脈結喉左右人迎脈者也以諸陽受病故取諸陽五十九刺寫其熱氣以陽并陰虛故補陰也

身熱甚陰陽皆靜者勿刺也其可刺者急取之不汗則泄所謂勿刺者有死徵也陰陽二脈皆靜謂為陰陽交無是其死徵故不可刺也脈陰陽乎實急取之若不[illegible]汗

[illegible]病[illegible][illegible]脈[illegible]動喘而[illegible]者

不可刺也 微故不可刺也。非陰陽爭，宜急取之，若不瀉汗，即瀉刺也 熱病七八日，脈口動，喘而眩者，急刺之，汗且自出，淺刺手指間。七日太陽病衰，八日陽明病衰，二陽病衰，氣口之脈則可漸和，而脈喘動，頭眩者，熱揣來去，汗若出，急刺手小指外側前谷之穴，淺而取之，汗不出，可深刺之 熱病七八日，脈微小，病者溲血，口中乾，一日半而死。熱病至七八日，二陽病衰，其脈則可漸和，而微小者，是熱甚，呼吸陵至，口以一日半死。脈小者，内熱消癉之謂也 脈代者，一日死。熱病七八日，脈代者，熱病已內氣絕，復以一日死 得汗而脈尚躁，喘，且復熱，勿膚刺，喘甚者死。熱病已得汗，其脈當調，猶尚躁，喘，且復身熱，此陰陽

熱病已得汗者脈當調靜尚躁盛且復身熱此陰陽交爭不可刺也刺之者危喘甚熱盛者死不須刺也

熱病七八日脈不躁〻不散〻後三日中有汗三日不汗四日死未曾刺者勿膚刺之

熱病七八日二陽病衰故脈不躁雖躁不數者是後三日合十六日三陰三陽熱衰故汗出愈也若從九日至十二日汗不出者十三日死計後三日者三日後也〻又曰十二日厥陰衰日所便汗出如其不出至十三日爲後三日從九日數以爲四日也雖來刺〻之不須刺也膚有本爲膚

熱病先身濇倚煩悗乾脣嗌取之以第一針五十九刺膚

脹口乾寒汗〻身熱甚皮膚痛緩也濇倚不安煩悶

炊中髎取之以第一鍼五十九刺膚

脹口乾寒汗　身熱甚皮膚痛澀也須倚不安煩悶脣咽乾內熱肺熱病狀也第一鑱鍼也應肺鍼須[illegible]之氣令經得深入以[illegible]陽之氣故用之五十九刺以寫諸陽之氣及皮膚脹口乾寒汗出也　熱

病嗌乾多飲善驚臥不能定取之膚

肉以第六針五十九索肉於脾不得索之

木木之肝也　熱病嗌乾多飲善驚臥不得安內病者脾脾以兼六員利針員利針應脾故用取之膚肉五十有九穴得輸穴以求其肉不得求於肝輸穴也以肝爲木剋土故名也　熱病

胸脅痛手足躁取之筋間以第四針於

四逆筋躄目浸索筋於肝不得索之金

[illegible]

四逆筋攣目浸索筋於肝不得索之金

之肺也熱病胷脅痛手足躁筋之病可以第四針應肝故於筋間針於四逆筋攣目浸求肝輸穴不得於肺輸穴以求筋也以其肺金尅木肝也索求也攣筋攣也目浸目眥淚出也熱病

先膚痛窒鼻充面取之皮以第一針五

十九窒鼻之塞也充面之皮起也膚痛鼻塞面皮以熱皆是肺合皮毛熱病者也第一鑱針大其頭兌其末令無得深入但去皮中之病故五十九取之皮也苛軫鼻索皮於肺不

得索之火之火者心也苛音何又多音鼻病有本作苛熱病胅苛軫在於鼻鼻是於肺故此皮毛病求於肺輸不得之求之[illegible]

徵之火也者心也　病洪奇散在於鼻〻主於肺故此皮毛病求於肺〻不得〻求之心〻以其心火尅肺金也　熱病數驚瘛疭而狂取之脉以第四針急寫有餘者癲疾毛髮去〻　驚瘛疭於心主病故取之脉第四針〻者鋒針也刃參寫瘖心可以寫熱出血癲癡疾及毛髮落皆得〻愈也　索〻血於心不得索之水〻者腎也　血病求於心〻不得索之腎〻者水〻尅火也　熱病身重骨痛耳聾而好瞑取之骨以第四針五十九骨病食齧齒耳青索骨於〻腎〻不得索之土〻脾也　一本下云身重骨痛耳聾好瞑皆腎之合骨熱病

了[illegible]骨枯[illegible]

去脊強身重骨痛耳聾好瞑皆腎之合骨熱病䏁取骨弟四針鍉鍼也長一寸六分銳其末寫以出血故用五十九刺弃食療焉耳青黃骨痛求之於俞穴不得求解之俞穴以止祛也熱

病不知所痛不能自收口乾陽熱甚陰

頌有寒者熱在髓死不治陽熱甚者其陽脈熱其陰熱頌寒也人熱在微中必死不療熱病頭痛顳顬目瘈脈善衂厥熱

也取以弟三針視有餘不足寒熱痔熱病頭痛顳顬及目急脈痹善衂此為厥熱者也弟三針鍉鍼也狀如黍粟之尖長二寸半主按脈取氣令邪氣

獨出故弃用療風病豈[illegible]

也狀如黍粟之兑長二寸半主按脉取氣令邪氣獨出故并用療厥熱寒熱痔病熱病體重腸中熱取之以第四針於其腧及下諸指間索氣於胃胳得氣體重腸中熱胃熱病也第四針鋒針也與胃熱病以鋒鍼取胃輸及于足指間八處胃胳以得氣爲限也熱病俠齊痛急胷脅滿取之湧泉與陰陵泉以第四針〻嗌俠齊痛脾經熱病也胷脅滿腎經熱病也可以鋒針取此二穴也熱病汗且出及脉順可汗者取之魚際大淵大都大白寫之則熱

者取之魚際大淵大都大白寫之則熱

去補之則汗出汗出太甚取踝上橫脈以止之熱病汗出及脈順不逆可令汗者取魚際在手太指本節後內側太泉在掌後陷者中大都在足大指本節後陷中太白在足內側覈骨下陷中此之四穴並是手足太陰療熱之穴故皆寫去其熱還於此穴補取其汗出太甚取踝上橫脈量是足太陰於踝上見者可取之以止其汗也

熱病已得汗而脈常躁盛此陰脈之極也死其得汗而脈靜者生熱病得汗熱去即須脈靜而躁盛者是陰極無陰故死得汗脈靜者熱去故脈靜而生也熱病者脈常盛躁而不得汗者此陽脈之極也死脈盛躁

脉靜者熱去故脉靜而生也熱病者脉常盛躁而不得汗者此陽脉之極也死脉盛躁得汗靜者生熱病不得汗脉常盛躁者是陽極盛脉故死得汗脉靜者生也熱病不可刺者有九一曰汗不出大顴發赤噦者死顴鼻左右高處也二日洩而腹滿甚者死三日目不明熱不已者死目是五藏之精五藏之氣和則目於明也四日老人嬰兒熱而腹滿者死五日汗不出嘔下血者死六日舌本爛熱不已者死七

嘔下血者死。六日舌本爛，熱不已者死。七
日欬而衄，汗不出，出不至足者死。八日髓熱
者死。九日熱而痓者死。熱而痓者膂折
瘈瘲、齒噤齘也。折，膂陵反，又折也。齘，胡介反，謂口齟齒相切也。凡此
九者不可刺也。此九死病，故不可刺也。所謂五十九刺者，
兩手外内側各三，凡十二痏。五指間各一，
凡八痏，足亦如是。頭入髮一寸，傍三分各三，
凡六痏。更入髮三寸，邊五，凡十痏。耳前後
口下者各一，項中一，凡六痏。巔上一痏，于肌

陽六痏鼻八目下三道去耳一前角

口下當各一項中一凡六痏顛上一 痏千凡 爻陽也

素問氣府五十九穴其經皆循釋其穴此九卷五十九刺但言手足內外邊側及手足十指之間入頭髮際一寸左右合有十六處更入三寸左右合有十處耳前後口下項中有一顛上有一合有七處更不細指處所量謂刺之以去其氣不定皆依此也又數剌處乃有六十三處五十九者以舉大數爲言耳

五藏熱病

肝熱病者小便先黄腹痛多卧身熱熱爭則狂言及驚脅痛手足躁不安卧 肝脉足厥陰脉陰器故熱小便黄也上行挾胃故身熱熱多卧不安也

[illegible]
陰器，故熱小便黃也。上行使胃，故身熱多臥，臥不安也。
肝動語言也，故熱爭狂言及驚也。其脈屬肝絡膽，故脅
痛也。肝脈出足上，逆于
厥陰，令熱，故手足躁也。庚辛甚，甲乙大汗，氣
逆則庚辛死。金以尅木，故庚辛死也。甲乙木王，
故大汗也。餘四藏此加氣逆者，則
庚辛
死也。刺手足厥陰少陽。其頭痛，貟貟脈
引衝頭。足厥陰足少陽表裏，行藏府之氣，故
頭刺之也。厥陰上顛，與督脈會於顛，故
頭痛貟貟，脈引衝頭。
貟貟[illegible]稱交頭功痛也。心熱病者，先不樂，數日
乃熱，熱爭則卒心痛，煩悗善嘔，頭痛面
衍至手樂心至壬癸摩
赤無汗。心主喜樂，熱病將發，故不樂，數日乃熱爭，

熱熱爭則卒心痛煩悶善嘔頭痛面

赤無汗心主喜樂，熱病將發，故不樂數日乃熱。手少陰脈起心中，使咽乾目赤。手太陽至目

内外眥，故熱甚心痛煩惌喜歐頭痛面赤無汗也至壬癸甚丙丁大汗

氣逆則壬癸死刺手少陰太陽手少陰太陽，此心藏府表裏脈也

脾熱病者先頭重頰痛心煩欲歐身

熱熱爭則腰痛不用腹滿洩兩頷痛脾府足陽明脈循頰際至額顱，故頭重頰痛，一曰頰。足陽明亦循頰也。足太陰脈注心中，故心煩也。足陽明下循喉嚨，下膈，屬脾絡胃，至肌，故欲歐身熱腹滿洩也。足陽明之正入腹裏屬胃，故腰痛不用也甲乙

甚戊己大汗氣逆則甲乙死刺足

足陽明之正入腹裏屬胃故胃痛不用也 日乙

甚代己大汗氣逆則甲乙死刺足太

陰陽明肺熱病者先淅然起毛惡風

舌上黃身熱熱爭則喘欬痺走胷膺

背不得大息頭痛不甚汗出而寒 肺主

毛腠內熱淅然起毛惡風也肺熱上熏故舌上黃也

肺主行氣於身故身熱也肺以主欬在於胷中故熱

爭喘欬痺走胷膺此爲熱痺痛行胷中不得大

息也肺脉衝頭以肺脉不至故頭痛不甚也有本爲塞

音氣衝甚故頭痛甚也

冷汗雖出無發熱也

丙丁甚庚辛大汗氣

癸汗雖出，無發熱也。丙丁甚，庚辛大汗，氣逆則丙丁死，刺手太陰陽明出血，如大豆立已。肺熱之病，取肺大腸表裏輸穴，出血如豆，言其少也。恐泄氣，故不多也。熱病者先胷痛，胻痠，舌渴，數飲食，身熱，熱争則項痛而强，胻寒且痠，足下熱，不欲言。其項痛員員澹澹。腎足少陰脈，上腨内，出膕内廉，貫脊，屬腎，絡膀胱，上貫肝膈，入肺中，循喉嚨，俠舌本，故熱病先胷痛，胻痠，舌渴，數飲也。足太陽脈，別項，本經行脊，合有四道，以下合膕，貫腨，至足小指外側，故身熱，項强痛，而足胻寒且痠也。足少陰起於足心，故足下熱也。從肺出，絡心，故熱不欲言也。澹，徒暫反。[illegible]

也。足少陰起於足心，故足下熱也。從肺出，絡心，故熱不欲言也。濇從咽叉動也。謂不安動也。戊己甚，壬癸大汗，氣逆則戊己死。刺足少陰、太陽。肝熱病者，左頰先赤；心熱病者，顏先赤；脾熱病者，鼻先赤；肺熱病者，右頰先赤；腎熱病者，頤先赤。病雖未發，見其赤色者刺之，名曰治未病。次言熱病色候也。五藏部中赤色見者，即五藏熱病之徵。熱病已有，未成未發，斯乃名為未病之病，宜急取之。熱病從部所起者，至期而已；部所者，色部所也。假令赤色從肝部起，刺之順者，相傳其刺之反者，三周而已。

熱病從部所起者至其期而已 行也，假令季色

從肝部起，刺之順者，相傳還至肝部本位，病已也。

其刺之反者，三周而已。

重逆則死。刺之不順其氣，傳之三周而已；若刺之更反，死矣。諸當汗出

者，至病所勝日，汗大出。病之勝者，第七日是病所勝也。又如肝病至甲乙

日，是病之勝日也。

諸治熱病，已飲之寒水，乃刺之，必

寒衣之，居寒多，身寒而止。諸病熱病，以寒療之，凡有四別：一飲寒水，使其內寒；二刺於穴，令其脈寒；三以寒衣，使其外寒；四以寒居，其體寒。以四寒之，令身內外皆寒，故熱病已也。

熱病先胸脅痛，手足躁，刺足少陽，手太陰。

病甚為五十九刺。足少陽脈下頸合缺盆下

病甚爲五十九刺足少陽脈下頸合缺盆下胷中貫膈絡肝屬膽循脅裏過季脅下外輔骨之前下抵絶骨循足跗下至指間手太陰上屬肺從肺出腋下循胷脅痛手足蹊刺此二脈也熱病先手臂痛刺手陽明太陰而汗出止手陽明行於手表太陰行在手裏故手臂痛刺此陰陽表裏二脈取汗也熱病始於頭首者刺項太陽而汗出止項太陽者足太陽從巔入腦還出使項以下侠脊故熱病始頭首刺此太陽輸穴出汗也熱病者先身重骨痛耳聾好瞑刺足少陽病甚爲五十九刺足少陽脈起目兑眥絡

病甚爲五十九刺 足少陽脉，起目兊眥，絡骨節，入耳中，故熱病先身重，耳聾好瞑。所以取此脉之輸穴者也。有本爲足少陰也 熱病先眩冒熱，胷脅滿，刺足少陰少陽太陽之脉 足太陽起目内眥，上額，交巔，入腦。足少陽起目兊眥，下胷，循脅裏。足少陰從腎上貫肝膈，入肺中，故眩冒，氣胷脅滿。刺此三脉者也 也。榮顴骨熱病也 未也。榮顴，此之三脉皆生代骨，故此三脉爲病，有未也。榮顴者骨熱病也 榮未交，曰今且得汗，待時自已 未也 未交之日，且得汗者，至時，時病自得已也 與厥陰脉爭見者，死期不過三日。其熱病氣内連腎 足太陽水也

勝時病自得已也　與厥陰脉爭見者其

不過三日其熱病氣内連腎　足太陽水也，足厥陰木也，

水以生木，木藏水衰，故太陽水色見時，有木爭見者，水

死，以其熱病内連於腎，腎為熱傷，甚數至三日，故死也。

少陽之脉色也，榮頰筋熱病也，榮未交曰

今且得汗，待時自已，與少陰脉爭見者

死　足少陽膽脉也，足少陽部在頰去也，榮之即知

筋熱病也，當榮時且得汗者，去其木勝，病自已也。少

陽為木，少陰為水，少陽脉急之時，少　三椎下間主

陰爭見者，是母勝子，故肝木死也。

胸中熱　明堂及九卷背五藏輸並以第三椎為肺輸，

第五椎為心輸，第七椎為膈輸，第九椎為肝

輸，第十一椎為脾輸，第十四椎為腎輸，皆兩箱取之，當中。

俞[illegible]熱 第五椎為心輸，第七椎為膈輸，第九椎為肝輸，第十一椎為脾輸，第十四椎為腎輸，皆兩箱取之，當中第三椎以上無療藏熱，故五藏輸及從五藏熱並第三椎以下數之，第三椎以上與頰車相當，從也。第三椎下間肺輸，中間可以寫熱也。四椎下間主鬲熱，五椎下間主肝熱，六椎下間主脾熱，七椎下間主腎熱。四椎下間，計次當心，不受邪，故乘言膈也。次第椎之下間各主一藏之熱，不同明堂遍取五藏之輸者也。榮在項上三椎陷者中，頰下逢椎為大癭。從肺輸以上三椎在項，故曰項上三椎，即大椎上陷者中也。當頰下迎椎，故曰逢椎。逢，迎也。是為頰下當椎節，有血見者，腹有大癭病者也。下列車為腹滿。下牙車也，見[illegible]。顴後為脅痛。太椎左右也是爲頰下當椎節有乏見者腹有大瘦病者也下牙車爲腹滿下牙車乏見者腹滿病也椎後爲胸痛太椎左右病爲椎後有乏見者胸痛也頰上者鬲上者也頰以上無可推故頰以上有乏者主膈上也

五藏痿

問曰五藏使人痿何也痿者屈弱也以五藏熱遂使皮膚脈肉筋骨緩痿屈弱不用故名爲痿然五藏之熱使人有痿何如也曰肺主身之皮毛心主身之血脈肝主身之筋膜脾主身之䏰肉腎主身之骨髓欲明五藏之痿先言五藏所主也膜者人之皮下肉上膜肉之故肺氣熱葉焦則皮毛虛弱急薄

[illegible]主身之[illegible]所主也膜者人之皮下肉上膜肉之筋也故肺氣熱葉焦則皮毛虛弱急薄著則生痿躄肺熱即令肺葉燋乾外令皮毛及虛弱急薄著生於手足痿躄不用也心氣熱則下脈厥而上ゝ則下脈虛ゝ則生脈痿樞折挈脛瘲而不任地心主血脈心藏氣熱令下ゝ血脈厥逆而上下ゝ脈血氣上行則下脈虛故生脈痿樞折脛瘲縱不能履地也肝氣熱則膽泄口苦筋膜ゝ乾ゝ則急而攣發為筋痿攣者有筋寒無有熱膜筋乾為攣如筋得火卷縮為攣伸為瘲故為筋痿也脾氣熱則胃乾而渴肌肉不仁發為[illegible]

筋[illegible]得火卷縮為攣伸為瘲故為筋痿也

脾氣熱則胃乾而渴肌肉不仁發為肉痿脾胃相依故脾熱則胃氣燥故肉不仁發為肉痿也腎氣熱則腎脊不舉骨枯而髓減發為骨痿腎在骨中所以腎氣熱骨脊不舉骨乾熱廢髓減故發為骨痿也問曰何以得之曰肺者藏之長也為心之蓋有所失亡所求不得發則肺鳴鳴則肺熱葉焦故五藏因肺熱葉焦發為痿躄此之謂也肺在五藏之上是四之蓋主氣故為藏之長也是以心有亡失求之不得即傷

肺熱葉焦，故曰：痿躄，此之謂也。之上，是心之蓋，主氣，故為藏之長也。是以心有亡失，求之不得，即傷於肺，肺傷則出氣有聲，動肺葉焦，五藏因肺葉焦熱，遂發為痿躄也。悲哀太甚，則胞絡絶，絶則陽氣內動，發則心下崩，數溲血，故本病曰：大經空虛，發為脈痹，傳為脈痿。胞絡者，心上胞絡之脈。心悲哀太甚，則令心上胞絡脈絶，手少陽氣內動，有傷心下崩損血，循手少陽脈下，尿血，致令脈虛，為脈痹，傳為脈痿。思想無窮，所願不得，意淫於外，入房太甚，宗筋弛縱，發為筋痿，及為白淫。故下經曰：筋腎主於使內，則思想所愛之也。不知窮已與房之

甚宗筋弛縱發為筋痿及為白淫故下經曰筋

痿者生於使内思想所愛之色不知窮已無厭之心不遂所願淫泆外心深入房太甚遂令陰器施縱也陰為諸筋之宗故宗筋傷則為筋痿婦人發為白淫經曰者已氣之謂引之為證也使内者女入房

有漸於濕以水為事若有所留居處相濕肌肉濡漬痹而不仁發為肉痿故下經曰

肉痿者得之濕地漸漬也濕處傷居相漬致肌肉痺而不仁遂使肉皆痿痿也名曰肉痿也

有所遠行勞倦而逢大熱而渴渴則陽明氣内伐則熱合於腎腎者水藏也今

水者不勝火則骨枯而髓虛故足不任

陽明氣內代則熱合於腎腎者水藏也今水者不勝火則骨枯而髓虛故足不任身發爲骨痿故下經曰骨痿生於大熱也勞倦逢於大熱渴則陽明內代者陽明主藏其氣熱盛復有外熱來加陽明之脈內所代絶內外熱盛下合水腎水不勝火故骨枯髓竭骨枯髓竭故足不任身發爲骨痿

問曰：何以別之五藏痿有外內仁使知其別異也

曰：肺熱者色白而毛敗白是肺色毛肺之所主也心熱者色赤而絡脈溢赤是心色絡脈心之所主也絡脈脈見爲溢也肝熱者色蒼而爪枯蒼青也青爲肝色爪肝所主也脾熱者色黄而肉蠕動黄爲脾色肉[illegible]腎熱者色黒

肝熱者色蒼而爪枯色爪肝所主也脾熱者

色黄而肉蠕動黄爲脾色肉脾所主也腎熱者色黑

而齒槁槁當爲槁也黑齒枯槁也爲腎色齒腎所主也故毛敗脈澁而枯肉蠕動齒槁者

即知五藏熱藤而也問曰如夫子言可矣論言治痿

者獨取陽明何也曰陽明者五藏六府之

海也主潤宗筋宗筋者束肉骨而利機關

衝脈者經之海也主滲灌谿谷與陽明合

於筋陰揔宗筋之會會於氣街而陽明

爲之長皆屬於帶脈而絡於督脈故陽

者皆陽揔宗筋之會會於氣街而陽明

為之長皆屬於帶脉而絡於督脉故陽

明虛則宗筋縱帶脉不引故足痿不用

陽明胃脉胃主水穀流出血氣以資五藏六府如海之資故陽明稱海從於藏府流出行廿八脉皆歸衝脉故稱衝脉為經脉之海是与衝脉以陽明水穀之氣与帶脉督脉相會於宗筋所以宗筋能管束肉骨而利機關宗筋者足太陰少陰厥陰三陰筋及足陽明筋皆聚陰器故曰宗筋故陽明為長吞陽明水穀氣虛者則帶脉不能控引於足故足痿不用也

黄帝曰治之奈何答曰

各補其滎而通其輸調其虛實和其逆

順則筋脉各以其時受月則病已

有[illegible]其[illegible]而[illegible]其[illegible]其[illegible]

順則宗筋脈骨肉各以其時受月則病已矣黄帝曰善五藏熱痿皆是陰虛故補五藏陰經之滎陰滎水也陰輸是木少陽也故熱痿通其輸也各以其時者各以其時受病之日調之皆愈也

瘧解

黄帝問於岐伯曰夫瘧痎者皆生於風其畜作有時何也瘧者有云三日一發名瘧痎此注但夏傷於暑至秋為病或云瘧痎或但云痎不必以日發間日以定瘧也俱應四時其形有異以為瘧耳因腠理開發風入不淺藏蓄合於心將亦叢日之辰丈[illegible]

有暑以為瘧耳，因腠理開發，風入不深藏，蓄合於心府而義日之辰文異，其故何也？岐伯曰：瘧之始發，先起於毫毛，伸欠乃作，寒慄鼓頷，膂脊痛，寒去則外內皆熱，頭痛如破，渴欲飲。寒瘧義狀凡有七別：一起毫毛諸毛豎，二為伸欠，三為寒慄，四膂脊痛，五內外熱，六頭痛甚，七渴飲水。寒瘧之狀有斯七別也。黃帝曰：何氣使然？願聞其道。請問寒瘧義之所以也。岐伯曰：陰陽上下交爭，虛實更作，陰陽相移也。陽并於陰，則陰實而陽明虛，陽明虛則寒慄鼓頷，巨陽虛則腰背頭項痛

者[illegible]也陽并於陰則陰實而陽明虛陽明

虛則寒慄鼓頷巨陽虛則腰脊頭項痛

三陽俱虛陰之氣〻勝〻則骨寒而痛寒生

於內故中外皆寒 寒氣藏於腸胃之外皮膚之內合於營氣至於春時陰陽交爭更勝更衰故虛實動移也三陽俱并於陰則三陽皆虛〻為陰乘故外寒陰氣盛〻故內寒內外俱寒湯火不能溫也

陽盛則外熱陰虛則內熱

外內皆熱則喘而渴欲飲 陰盛則陽盛〻陽盛則外熱陰虛則陰虛〻陰虛則陽乘故內熱外內俱熱甚於慄炭冰〻不能涼故渴而欲飲也

此得之夏

傷於暑熱氣盛藏於皮膚之內

悰皮，汲汲不能涼，故渴而欲飲也。此秋之……

傷於暑，熱氣盛，藏之於皮膚之内，腸胃之外，此營氣之所舍也。此言其日作所由也。皮膚之内，腸胃之外，脉中營氣，是邪之舍也。此令人汗出空踈，腠理開，因得秋氣，汗出遇風，乃得之，以浴水氣舍於皮膚之内，與衛氣并居，衛氣者，晝日行陽，此氣得陽而出，得陰而内薄，是以日作。邪舍營氣之中，令人汗出，開其腠理，因得秋氣，復藏皮膚之内，与衛氣居，衛晝行於

[illegible]陽不[illegible]。[illegible]作。人汗出，開其腠理，

因得秋氣，複藏皮膚之內，與衛氣居。衛晝行於陽，夜行於陰，邪氣与衛俱行，以日日而作也。

黃帝曰：其間日而作，何也？岐伯曰：其氣之舍深，內薄於陰，陽氣獨發，陰邪內著，陰與陽爭不得出，是以間日而作。其邪氣因衛入內，內薄於陰，共陽爭，爭不得日日与衛外出之陽，故間日而作也。

黃帝曰：善。其日晏與其日蚤，何氣使然？岐伯曰：邪氣客於風府，循膂而下，衛氣一日一夜大會於風府，其明日日下一節，故其作也晏。凡

客於風府循膂而下衛氣一日一夜大會

於風府其明日〻下一節故其作也晏此

先客於脊背也每至於風府則腠理開

開則邪入邪入則病作此以日作稍

益晏者也其出於風府日下一椎廿一日下

至骶骨日衛氣從風府日下故作也晏晚也骶丁禮反尾窮骨也廿二日入

於脊內注胎之脉其氣上行九日出於

缺盆之中其氣日高故日益早邪與衛氣下

一椎日〻作晚至廿二日邪與衛氣注於

[illegible]氣下廿

一推日〻作晚至廿二日邪㕥衛氣注於脊脈上行氣上高行故其作也早其㕥薄

於五藏橫連募原也其道遠其氣深

其行遲不能與衛氣俱行偕出故間

日乃作偕俱也募原五藏皆有募原其邪氣内著五藏之中橫連五藏募原之輸不能与衛氣日夜俱行陰陽日一至故間日作也黃帝曰夫子言衛氣

每至於風府腠理乃發〻則邪入〻則病

作今衛氣日下一節其氣之發也不當

風[illegible]項髮際上風府之空衛氣

此令衛氣日下一節，其氣之發也不當

風府，其日作柰何？項髮際上風府之空，衛氣之行，日日而至，若下廿一節還上方會風府，日作，則不相當過之，柰何也？岐伯曰：風無常府，衛氣

之所發也，必開其腠理，氣之所舍，即其

府高已。黃帝曰：善哉！無常府者，言衛氣發於腠理，邪氣舍之即尚高。風府不必常以項髮際上以為府也。故衛氣發腠理，邪舍之處，其病日作也。黃帝曰：夫風之

與瘧也，相似同類，而風獨常在，而瘧得有

休者何也？因腠理開，風入藏，因至時而發，名之為瘧。然則風之與瘧，異名同類，其瘧日有休

時，風府常在未。岐伯曰[illegible]處[illegible]氣[illegible]

休者何也？然則風之與瘧，異名同類，其瘧日有休

時，風府常在來愈，甚意何也？岐伯曰：經，畜其處，衛氣相順

經絡，沉以內薄，故衛，畜乃作。經脈浮面之處，衛氣

迎之經脈，與衛相順，謂經脈內薄，得處衛氣亡面。衛氣與風，發處發動，應時以其風常在，瘧有休作也。

三瘧

黃帝曰：瘧先寒後熱，何也？岐伯曰：夏傷

於大暑，汗大出，腠理開發，因遇夏氣

淒滄之小寒，寒迫之，藏於腠理皮膚之

中，秋傷於風，病成矣，夫寒者，陰氣也

淒滄之小寒迫之藏於腠理皮膚之
中秋傷於風病盛矣夫寒者陰氣也
風者陽氣也先傷於寒而後傷於風故先寒
而後熱夏遇小寒藏於腠理皮膚之中至秋復傷於風先遇於寒故先寒也後傷於風故後熱此為寒瘧也
黃帝曰先熱而後寒何也岐伯曰此先傷
於風而後傷於寒故先熱而後寒亦以
時作名曰溫瘧其但熱而不寒陰氣絕
陽氣獨發則少氣煩冤手足熱而欲
嘔名曰癉瘧此二種瘧略示黃帝曰夫經言

陰氣獨盛則少氣少氣實者足熱不寒

厥名曰痺癰此二種癰略示所由廣解在下黃帝曰夫經言

有餘者寫之不足者補之今熱為有餘

寒為不足夫癰之寒也温火不能温也及

其熱也冰水不能寒也此皆有餘不足之

類也當是時良工止也必須其時自衰乃

刺之其故何也願聞其說岐伯曰經言無

刺熇熇之氣無刺渾渾之脈無刺漉漉之

汗故曰其病意之不治此言病發盛時之

熇熇之熱無刺渾渾之脈無刺漉漉之

汗故為其病逆未可治此言病發盛時不可取也夫瘧之

始發也陽氣并於陰當是之時陽虛而

陰盛外無氣故先寒慄陰氣逆極則

復出之陽陽與陰復并於外則陰虛而

陽實故熱而渴夫瘧氣者并於陽而陽

勝并於陰則陰勝陰勝則寒陽勝則熱

瘧風寒氣也不常病極則復至病之發也

如火之熱如風雨不可當也故經言曰方其盛

如火熱風雨不可當也故經言曰方其盛時勿敢必毀因其衰也事必大昌此之謂也此言取其衰時有益者也夫瘧之未發也陰未并陽陽未并陰因而調之真氣得安邪氣乃亡故工不能治其已發為其氣逆也此言取其未病之病未盛之時也黄帝曰善攻之奈何早晏何如也晏晚也療瘧之要取之早晚何如也岐伯曰瘧之且發陰陽之且移也必從四末始陽已傷陰從之故先其時

早晚何如也[illegible]

必從四末始，陽以傷陰，從之，故先其時堅束其處，令邪氣不得入陰，氣不得出，後見之在孫絡盛堅而血者，皆取之，此直往而取，未得并者也。此言瘧之在早不在於晚也。夫瘧之作也，外內陰陽相入相并相移，乃作。四支為陽，藏府為陰。瘧之將作，陽從四支而入，陰從藏府而出，二氣交爭，陰勝為寒，陽勝為熱。瘧之二氣未并之前，以繩堅束四支病所來處，使二氣不得相通也。邪見孫絡，皆刺去血，此為道也。陽以傷者，陽虛也；陰從之者，陰并也。黃帝曰：病不發，其應何

曰：瘧病有休有作，何[illegible]

也陰從之者陰弃也 黄帝曰瘧不發其應何如 瘧病有休有作其應何氣也 岐伯曰瘧氣者必更盛更虛隨氣所在病在陽則熱脉躁在陰則寒脉靜極則陰陽俱衰衛氣相離則病得休衛氣集則復病 瘧氣不與衛氣聚故得休也若瘧氣居衛与衛氣聚者則其病復作故病不發者不與陰陽相應故也 黄帝曰時有間二日或至數日發或渴或不渴其故何也 夫瘧之作遲數不同或不間日謂一日一發也或有間日隨日而發也或宿二日三日一發也或至數日一歲四時以去有一發也諸間二日以去謳瘧人久不滅不[illegible]爲 交日日其間則合

二日三日一發也或至數日一發四日以去有一發也諸同二日以去謂瘧人多不識不知乃瘧宜審案之以行補寫也岐伯曰其間日者邪氣與衛氣客於六府而時相失不能相得故休數日乃作瘧氣衛氣與行〻六府數氣有時盛衰故令二氣相失數日乃得一集〻時即發故至數日乃作也瘧者陰陽更勝〻甚或不甚或渴或不渴陰勝寒甚不渴陽勝熱甚故渴也

黃帝曰論言夏傷於暑秋必病瘧今瘧不必應何也夏傷於暑秋必病瘧今瘧之發不必要在秋時四時皆發其故何岐伯曰此應四時者也其病異形

病不必應何也發不必定在秋時四時皆發其故何也岐伯曰此應四時者也其病異形者反四時也或夏傷於暑或冬傷於寒以為瘧者至其發時若應四時但病形異耳也其俱以秋病者寒甚以冬病者寒不甚以春病者惡風以夏病者多汗惡於路及畏惡也言同傷寒暑俱以四時為瘧也秋三月時陰氣得勝故熱少寒甚也冬三月時陽生陰衰故熱多寒少也春三月時風盛故惡風也夏三月時溫熱盛故多汗也黃帝曰夫溫瘧與寒瘧各安舍舍何藏同寒溫二瘧所居之藏也岐伯曰溫瘧者得之冬中風寒氣藏於骨中[illegible]

病與實病名者舍也作舍所居之藏也以作

曰溫瘧者得之冬中風寒氣藏於骨髓

之中至春則陽氣大發邪氣不能出因

遇大暑腦髓鑠肌肉銷澤腠理發洩

因有所用力邪氣與汗俱出此病藏於

腎其氣先從內出之於外如是則陰虛

而陽盛則病矣衰則氣復反入則

陽虛陽虛則寒矣故先熱而後寒名

曰溫瘧此言溫瘧所舍之藏謂冬三月時因[illegible]

陰虛陰虛陽實矣故熱而後寒然

曰溫瘧此言溫瘧所舍之藏，謂冬三月時，因腠理開，得大寒氣，深入至於骨髓，藏於腎中，至春，陽氣雖發，火不能出，復內銷於腦髓，銷灼脈肉，發泄腠理，有因用力，汗出，其寒氣從內與汗俱出，是則陰虛，陰虛陽盛，陽盛內盛為熱，故先熱也，熱極復衰，反入於內，外陽復虛，陽虛陰盛，陰盛為寒，所以後寒，故曰溫瘧也。黃帝曰：癉瘧者何如？岐伯曰：癉瘧者，肺素有熱，氣盛於身，厥逆上衝，中氣實而不外泄，因有所用力，腠理開，風寒舍於皮膚之內，分肉之間而發，發則陽氣盛，陽氣盛而不衰則

力腠理開風寒舍於皮膚之内分肉

之間而發發則陽氣盛陽氣盛而不衰則

病矣 癉熱也素先也人之肺中先有熱氣發於内熱内熱感而不衰以成癉瘧之病也

其氣不及之陰故但熱不寒寒氣内藏

於心而外舍分肉之間令人銷鑠脫肉故

命曰癉瘧黃帝曰善哉 爲寒氣所發熱氣不及之陰故但熱不寒神引寒氣藏心而舍分肉之間故能銷鑠脫肉令人瘦瘠然則無寒獨熱故曰癉瘧也

十二瘧

黃帝曰瘧而不渴間日而作奈何也

黄帝曰瘧而不渴間日而作奈何岐伯曰瘧而不渴間日而作刺足太陽渴而間日作刺足少陽温瘧者汗不出爲五十九刺足太陽在表主水故不渴間日發也足少陽在陽故渴而間日作也此二皆寒瘧也温瘧傷寒所爲故汗不出以五十九刺也足太陽瘧令人腰痛頭重寒從背起先寒後熱渴渴止汗而出難已間日刺郄中出血足太陽脈起頭下背下腰邪客之故寒從背起熱渴實足太陽合委中膝鍼處與此足少陽瘧令人身體解㑊寒不

於中出血是謂足太陽明堂云足太陽合委中膝疏穴與此同也

足少陽瘧，令人身體解㑊，寒不甚，熱不甚，惡見人，見人心惕惕然，熱多汗出甚，刺足少陽。足少陽脈，爲經身之支節，故此脈病人體解㑊。足少陽與厥陰合，故寒熱俱不甚，惡見人也。若熱多即汗出甚也。可取足少陽風池丘虛等穴也。

足陽明瘧，令人先寒，洒淅洒淅，寒甚久乃熱，熱去汗出，喜見日月光火氣，乃快然，刺陽明跗上。足陽明兩陽合明，故汗去喜見日月光明，見之快心也。足跗上，足陽明脈。

足太陰瘧，令人不樂，好大息，不嗜

其陽明已 日月光明見之快心也足跗上足陽明脈行也

足太陰瘧令人不樂好太息不嗜食多寒熱汗出病至則善嘔嘔已乃衰即取之 足太陰脈從胃別上膈注心中故瘧令人不樂好太息也脾胃主食故脾脈病不嗜食其脈入腹屬脾絡胃上膈使咽故病將發善嘔嘔已乃衰將即宜取之也

足少陰瘧令人吐嘔甚多寒熱熱多寒少欲閉戶而處其病難已 足少陰脈貫肝膈入肺中從肺出絡心注胸中故足少陰瘧令人吐嘔甚則胃狂俱多於餘經瘧其足少陰為陽乘之故熱多寒少以其腎陰脈傷故欲閉戶而處病難已也足

厥陰瘧令人腰痛少腹滿小便不利如癃

寒少，以其腎陰脈傷，故欲閉户而處，病難已也。

厥陰瘧，令人胥痛，腹滿，小便不利，如癃狀，非癃已，數小便，意恐懼，氣不足，腸中邑邑，刺足厥陰。足厥陰環陰器，抵少腹，故胥痛，少腹滿，小便不利，如癃，癃，淋也。小便不利，如淋也。其脈屬肝，絡膽，膽為足厥陰府，故膽傷，恐懼，氣不足，腸中邑邑也。可刺足厥陰五輸中對者也。

肺瘧者，令人心寒，寒甚熱，熱閒善驚，如有見者，刺手太陰陽明。以上言經瘧，為瘧以下言藏瘧瘧也。以逼心，故肺病心寒，善驚，冣有所見，宜取肺之藏府表裏之脈也。

心瘧者，令人煩心甚，欲得清水，反寒多，不甚熱

見宜取腑之藏府表裏之脉也

煩心甚欲得清水及寒反寒不甚熱甚

則手少陰心中煩熱故欲得冷水及欲得寒以其陽得寒發熱故不得寒反也其寒不甚其熱甚也心經手少陰受病遂令心煩邪心受病又心有神不可受邪氣邪脉不受邪之故令煩心痛在手少陰少海之穴也肝瘧令人色蒼蒼然大息其

狀若死者刺足厥陰見血肝瘧病甚則正色見故蒼蒼然也蒼青也病甚氣奔故大息然之可取肝之經脉見血得愈也脾瘧令人寒

腹中痛熱則腸中鳴已汗出刺足太

陰脾脉足太陰脉屬脾絡胃連腸以散氣

腸中痛熱，腹中鳴已，刺之足太陰。脾脈足大陰脈，屬脾絡胃連膈，以穀氣盛，故寒熱腹痛腸鳴，可取脾之絡脈大都、公孫、商丘等穴也。腎癰令人洒〻，胥脊痛，寃轉，大便難，目詢〻（口綱作見）然，手足寒，刺足太陽少陰。詢，請也，謌有詢請，舉目求之詢〻，舉目視之皃也。洒，音洗，謂惡寒也。腎脈貫脊屬腎絡膀胱，故胥脊痛，寃轉，大便難也。其脈從腎上貫肝膈，肝脈入目，故詢〻然，又或為眩。腎府膀胱足太陽脈起目內眥，故令目眩也。足少陰太陽上連手之少陰太陽，無手足寒也，取此腎之藏府二脈也。胃癰令人恒病也，善飢而不能食〻而

〻當瘦之刺足陽明……

[illegible]

支滿腹大刺足陽明太陰橫脈出血

直音且内熱病也胃受飲食飲食脈理或有寒熱故胃有痺也胃脈足陽明屬胃絡脾故胃中熱善飢不能食腹𦡱痛也足陽明大絡即大橫脈也

痺以發取方熱刺

以前諸痺中溫痺特欬熱時可刺足附上

附上動脈開其空召寒

動脈動脈即衝脈為五藏六府之海故刺之以瘧十二痺也開空者瀉大其穴熱去生寒也或寒衰為熱也

痺方欬寒刺手陽明太陰足陽明太陰

以前諸痺之中寒痺可刺手足陽明太陰手陽明脈高陽三關合谷陽絡偏歷溫留丑里等足陽明神庭關明天樞解谿衝陽陷谷厲兌等手太陰

脈商陽三間合谷陽谿偏歷温溜五里等足陽明神庭關明天樞解谿衝陽陷谷厲兌等手太陰列缺太泉少商足太陰大都公孫商丘等穴或熱發方寒也

諸瘧而脈不見者，刺十指間見血，血去必已，先視身之熱赤如小豆者盡取之。十二種瘧各有絡脈見者，依刺去之，若絡不見，足陰陽脈刺足十指間，手陰陽脈不見，刺手十指間皆出血，必已。又諸瘧將衰，身上有如赤小豆結熱者，皆刺去也。

十二瘧者，其發各不同時，察其病形，以知其何脈之病也。先其病發時如食頃而刺之。此言通療十二種瘧，並於瘧未發一[illegible]

通變十二種瘧並於瘧未發一刺則衰二刺則
先一食之頃刺之必已也
知三刺則已一刺病衰病人未覺有愈二刺知愈其病未盡三刺病氣都盡也不已
刺舌下兩脉出血不已刺郄中盛經出血
有刺項以下侠脊者必已舌下兩脉者廉
泉也如前刺之不已可更決刺凡有三刺一刺舌下足少陰脉注脉廉泉之穴二刺膕内委中穴無郄中或可刺於膕内郄穴委中之中足太陽盛經出血三刺項下侠脊足太陽大杼譩譆等穴
刺瘧者必先問其病之所先發者先刺
之先問者問其瘧發之先……

[illegible]

之先問者，問其病發之先，欲療其始，問而知之也。頭先痛及重，先刺頭上先取督脈神庭上星囟會百會等穴及兩頷兩眉間出血兩頷眉間取絡出血。先項背痛者，先刺之先起項及背者，先刺項及背。先腰脊痛者，刺郄中出血刺委中之郄也。療瘧病之處也

先手臂痛者，先刺陰陽十指間手表裏陰陽之脈十指之間也。先足脛痠痛者，先刺足陽明十指間出血足陽明為三陽之長，故刺足十指間出血，皆稱足陽明也。風瘧之發，則汗出惡風，刺三陽經背俞之言風瘧狀也。風

十指間出血皆擇三陽明也　所取之處異

少惡風刺三陽經背輸之血　惡風痹狀也風痹使手足三陽經之背輸有痹穴處取之

腑痛甚按之不可名曰附髓以鑱鑱鍼絶骨出其血立已身體小

痛刺之諸陰之井毋出血間日一刺　人足附痿痛陰之不可名曰附髓之病可以鑱鍼鑱出血已五藏諸陰之井皆起於木宜取勿出血也有本髓爲體

黄帝内經太素卷第廿五　傷寒

黄帝内經太素卷第廿

仁安三年五月八日以同本書之　丹波頼基

以同本移点校合了

本云

保元二年卯月廿一日以家本比校了

黄帝内經太素卷第廿六

黄帝内經太素卷[illegible]　寒熱　[illegible]

通直郎守太子文學臣楊上善奉　勅撰注

寒熱厥　經脈厥　寒熱相移

厥頭痛　厥心痛　寒熱雜說

癰疽　蟲癰　寒熱瘰癧

灸寒熱法

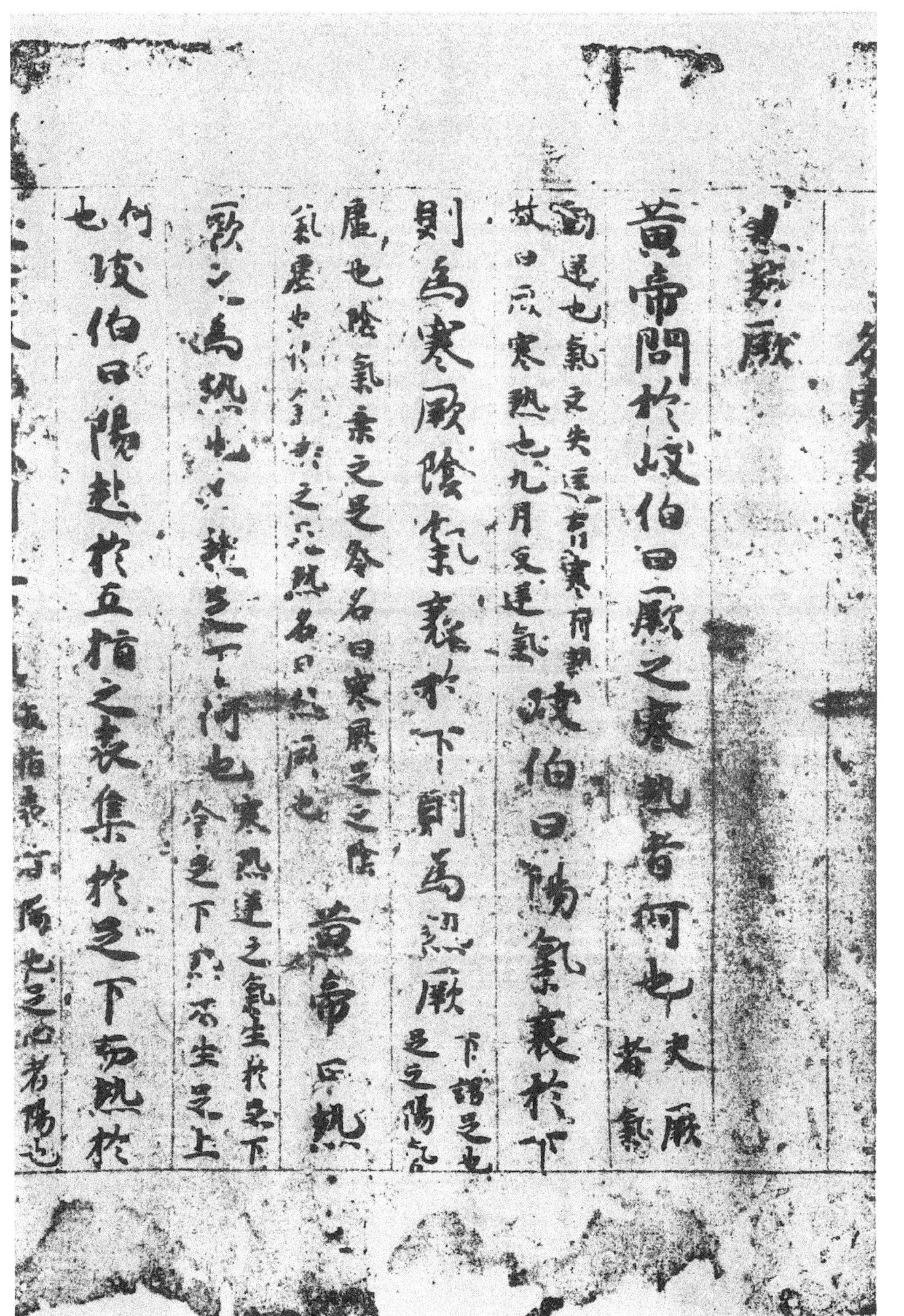

寒熱厥

黃帝問於岐伯曰厥之寒熱者何也夫厥者氣逆也氣之失逆者何寒何熱故曰厥寒熱也九月反逆氣岐伯曰陽氣衰於下則為寒厥陰氣衰於下則為熱厥下謂足也足之陽氣虛也陰氣乘之足冷名曰寒厥足之陰氣虛也陽氣乘之足熱名曰熱厥也黃帝曰熱厥之為熱也必起於足下何也寒熱逆之氣生於足下今足之下熱不生足之上何也岐伯曰陽起於五指之表集於足之下而熱於

也岐伯曰陽起於五指之表集於足下而聚於

足心故陽勝則足下熱五指表爲陽也足心者陽也陽氣聚表以溫之下令足下陰虛陽勝故足下熱名曰熱厥熱也黃帝曰寒厥之爲寒也必從

五指始上於膝下何也岐伯曰陰氣起於

五指之裏集於膝下而聚於膝上故陰氣

勝則從五指至膝上寒其寒也不從外皆

從内寒黃帝曰善五指裏陰也膝下至於膝上陽也今陽虛陰勝三以膝上下冷也膝上下冷不從外來皆從五指之裏寒氣上乘冷也黃帝曰寒厥何失而然

厥失也寒失之氣何所[illegible]

黃帝曰寒厥何失而然

衆寒氣上乘冬也厥失也寒失之氣何所於出載今乎是參也岐伯曰前陰者宗筋

之所聚也太陰陽明之所合也春夏則陽

[illegible]而陰氣衰秋冬則陰氣盛而陽氣

衰太陰履為後陰陰器為前陰也宗筋大筋聚以為前陰也手太陰脈絡太陽脈胃口是太陰脈絡

胃手陽明脈屬大腸足陽明脈屬胃此二陰脈之脈皆乘水

穀共以水穀之氣資於諸筋故令足太陰足少陰足厥陰足陽

明等諸筋聚於陰器以為宗筋故宗筋太陰陽明之所合也

春夏為陽故人足陽脈春夏氣盛秋冬為陰故人足太

陰秋冬氣盛也此人者質壯以秋冬奪於所用下

氣上爭不能復精氣溢下邪氣因從之

此人者質壯以秋冬奪於所用下

氣上爭未能復精氣溢下邪氣因從之而

上氣因於中陽氣衰不能滲營其經絡故

陽氣日損陰氣獨在故手足為之寒此人謂是寒厥手

足冷人也其人形體壯盛從其所欲於秋冬陽氣衰時入房太

甚有所欲因奪於下因奪所用則陽氣上虛陰氣上爭

不能和復精氣溢泄益虛寒邪之氣因虛上乘以居其中

以寒居中陽氣衰虛夫陽氣者衛氣也衛氣行於脈外滲

灌經絡以營於身以寒邪居上衛氣日損

陰氣獨用故手足之冷名曰寒厥也

黃帝曰熱厥

何如岐伯曰酒入於胃則絡脈滿而經脈

虛脾主為胃行其津液者也

[illegible]

虚脾主為胃行其津液者也陰氣虚

則陽氣入陽氣入則胃不和胃不和則精

氣竭精氣竭則不營其四支酒為熟液故人之醉酒先入并胳脉之中

故虚寐虚也脾本為胃行於津液以灌四藏今酒及食竟滿胳中

則脾藏陰虚陰虚則脾經虚脾經既虚則陽氣乘

之陽氣發脾中則穀精竭穀精氣竭故氣竭不營四支脾邪發熱故手足熱也此人必數醉若

飽已入房氣聚於脾中不得散酒氣與

穀氣相搏熱於中故熱遍於身故内熱溺

赤也酒氣盛而慓悍腎氣日衰陽氣獨

穀氣相薄熱盛於中故熱遍於身內熱而溺

赤夫酒氣盛而慓悍腎氣有衰陽氣獨

勝故手足為之熱 此具言得病所由此人謂乎之恐 所之人數醉若飽食酒穀

求酒入房氣聚於脾中穀二氣相搏以熱於中外遍於身內 小睡陰日衰陽氣八旺三皆寸以名曰熱厥也

黃帝問曰厥或令人腹滿或令人暴不知人

或至半日遠至一日乃知人者何也 令人腹滿及不知人以為失逆

錢為厥者請聞所以 岐伯曰陰氣盛於上則下虛下虛

則腹脹滿 上謂心腹下謂足也上陽非无有陰下陰非无日陽氣之常少陰氣尹盛於上下虛故腹

滿陽氣盛於上則下氣重上而邪氣逆

則以陽 此陽氣之常也今陰氣并氣於上下虛故腹

滿陽氣藏於上則下氣重上而邪氣逆逆

則陽氣亂亂則不知人黃帝曰善 心腹為陰下之陽氣重上心腹是為邪氣逆亂故不知人也

經脈厥

黃帝曰願聞六經脈之厥狀病能 請聞于之三陰三陽氣之失逆為厥其發之時厥態有證

岐伯曰巨陽之厥則腫首頭重足

不能行發為眴仆 巨陽太陽也頭是首頭也足太陽脈從頭至足故太陽氣之失逆頭足皆重以其重故不能行也是陽皆

[illegible]陽之厥則癲

不能行，發爲眴仆。脉從頭至足，故太陽氣之失逆，頭足皆重，以其重，足不能行也。手足少陽皆入於目，故目爲眴仆。眴，胡遍反，目揺也。陽明之厥，則癲疾欲走呼，腹滿不能卧，面赤而熱，妄見妄言。足陽明脉從面下入腹至足，故陽明氣之失逆，癲疾走呼，腹滿不得卧，面赤而熱，妄見妄言。時是陽明穀氣盛燃聚氣下兼散也。少陽之厥，則暴聾，頰腫而熱，脅痛，䯒不可以運。手足少陽之脉皆入耳中，足少陽脉循頰下循脅至足，故暴聾、頰腫、脅痛、䯒不可運也。太陰之厥，則腹滿䐜脹，後不利，不欲食，食則嘔，不得卧。足太陰脾脉主於腹之腸胃，故太陰脉氣失逆，腹滿不利，不食嘔，[illegible]食之厥則[illegible]氣滿[illegible]痛

欲食食則氣不行者 太陰脈氣失逆腹滿不利

不食飲不得節 少陰之厥則舌乾溺赤腹滿心痛

足少陰脈□□小腸足少陰之脈足上陰股內後廉貫脊屬腎絡膀胱絡上連舌本少陰氣逆舌乾溺赤腹滿心痛也

厥陰之厥則少腹腫痛腹脹涇溲不利好臥

屈膝陰縮腫䯒內熱 足厥陰脈足上踝八寸交出太陰後上循股陰入毛環陰器抵少腹使胃故少陰脈氣失逆少腹痛瞋涇溲不利好臥屈膝陰縮腫䯒內熱有寒䯒冰熱是厥陰脈

不行脈外之為誤也 盛則寫之虛則補之不盛不虛

以經取之 一六經厥皆盛虛以行見於寫也 足太陰脈厥逆䯒急

□□□□痛□□□ 足太陰脈從足上行

[illegible]足太陰厥逆，䯒急攣，心痛引腹，治主病者。足太陰脈從足上行，□□後屬脾胃，注心中，故足太陰氣動此逆，䯒急攣，心痛引腹也。有䯒急攣等病者，療足太陰脈所發之穴，主療此病者也。餘放此。問曰：前章已言六經之厥，今復言之，有何別異也？答曰：二章說之，先後經脈厥而生病，左右不同，故也。

足少陰厥逆，虛滿嘔變，下泄清，治主病者。足少陰脈貫脊屬腎絡膀胱，從腎上貫肝膈入肺中，故足少陰脈氣失逆，心腹虛滿，歐嘔下利，出青色者。少陰也。

足厥陰厥逆，攣，腰痛，虛滿前閉，譫言，治主病者。足厥陰環陰器，絡少腹，循喉嚨入頏顙，故足厥陰脈失逆，腎攣而虛滿，小便閉，譫語，謂妄多言也。

三陰俱逆，不得前後，[illegible]

言[illegible] 足厥陰脈失逆胃[illegible]而腹滿小便閉語

諸陶叉多言也相[illegible] 三陰俱逆不得前後使人
[illegible]乃衛叉[illegible]謂也

[illegible]之寒三日死 逆即氣之失逆名曰逆逆足三
陰之脈同時失逆心大少便不通

[illegible]是[illegible] 曰太陽脈厥逆僵仆歐血善衄
三日死矣

[illegible]主·此者 足太陽脈起[illegible]目內眥使[illegible]挾脊中絡
腎屬膀胱故足太陽脈氣之失逆僵仆歐
血善衄後倒曰僵前倒曰仆僵仆有傷
故歐血也太陽[illegible]連[illegible]故善衄也 [illegible]少陽脈厥逆

機關不利者腰不可以行項不可以顧發腸

癰不可治驚者死 足少陽脈[illegible]
[illegible]中下髀外廉下外輔骨之前[illegible]

[illegible]上[illegible]入[illegible]間[illegible]者[illegible]身之骨

前少[illegible]等[illegible]更　[illegible]衰中下膝外廉下外輔骨之前直絶[illegible]外[illegible]外踝之前上[illegible]入上指歧骨間[illegible]者貫爪甲[illegible]絡身之骨節機關故少陽氣乎失逆機〻〻不利膂是機關故不可行宅少陽循頸皆頸大不可顧也脈循膂裹出於[illegible]衍發腸癰發腸癰不可療之腸癰氣逆傷膽死也　足陽明脈厥逆喘欬身熱善驚衄歐血不可治

驚者死　足陽明逆氣乘肺故喘欬也足陽明主身熱逆氣逆身善驚足陽明起鼻下行屬胃氣逆衄之歐血而不療加有驚者神亂故死也　手太陰脈厥逆虛滿而欬

歐嘔沫治主病者　手太陰脈起於中焦下絡太腸還循胃口上膈屬肺故氣逆而虛滿　手心

少陰厥逆心痛引喉身熱死不熱可治　手心

主手厥陰心包治脈起於胸中出屬心包下膈歷絡三焦手

陰厥逆心痛引喉身熱死不可治手心

主手厥陰心包絡脉起於胸中出屬心包下膈歷絡三焦手

少陰脉起以中使心上行故二脉共連心胸引喉也心包之脉歷

絡三焦故邪客之邪氣遍行三焦致令身熱若真心痛死

不可療若身不熱是則邪氣不周三焦故可療之也

手太陽脉厥逆聾泣出項不可以顧腰不

可以俛仰治主病者 手太陽脉起於小指之端上行至肩上入缺盆循頸至目

兌眥却入耳中故手太陽氣逆耳聾目泣出項不可顧不得俛仰也 手陽明少陽

厥逆發喉痺嗌腫痓治主病者 手陽明脉上肩

出髃前廉上出柱骨之會上下入缺盆支者從缺

盆上貫頰手少陽支者從膻中出缺盆上項係耳後故

二脉氣逆作喉痺咽腫[illegible]驗肝

血上貫頰。手少陽支者，從膻中出缺盆，上項，係耳後，故二脈氣逆，喉痹咽腫，耳項痛，一本項痛也。腎肝并沉為石水，腎肝雖為下部，腎脈浮，肝脈浮而陰，今腎脈與肝脈并沉，是陰氣盛，腎以其沉，沉為石，石水，水溜盛，冬澀之堅鞕如石，名以石水，言此水病之喜也。并浮為風水，浮為陽也，風為陽也，腎脈脈浮誤，今腎脈與肝脈并浮，與腎肺俱陰居於下部，故為風水也。并虛為死，腎肝并虛，是為陰陽俱虛，為水必死。并小絃亦驚，脈小者，血氣少也。腎肝二脈，血氣復少，仍絃者，是為腎肝皆虛，又為脾氣之所乘，故有驚恐也。

已上熱目錄

脾外鼓，沈於脾，離腸澼，少氣。五藏病傳。凡有五邪，謂虛實賊微正等邪。從後來名虛邪，從前來名實邪，從所不勝來名微邪，從勝

[illegible]虛實賊微五等邪從
後來名虛邪從前來名實邪從所不勝來名賊邪從
所勝來名微邪邪從自起名曰正邪腎移寒於脾此從不勝來也
諸腎藏衛寒傳与脾熱致令脾氣不行
於身故發為癰腫寒傷散故為少氣也脾移寒於
肝癰腫筋攣 脾得寒氣來與肝藏名曰微邪以脾持寒氣与肝肝氣癰遏不通故為癰
腫肝以主筋故肝病筋攣者也 肝移寒於心狂鬲中 肝得寒氣傳与
心心藏以心曰虛邪肝持寒氣与心心持寒氣熱鬲神亂故狂鬲也心氣不通也 心移寒於肺肺
消消者飲一溲二死不治 心得寒氣傳与肺肺名曰賊邪心以寒氣与肺肺得寒發
熱肺燋為渴名曰肺消飲一升溲一升下滲飲一升溲二升肺已傷甚故死也 肺移寒於腎為
涌水涌水者按腹下堅水氣客於大腸一夫

下療飲一外沒二作肺已傷寒故死也　肺移寒於腎為

涌水涌水者按腹下堅水氣客大腸疾

行則鳴濯〻如囊裹漿治肺者　肺將寒氣傳与腎藏名曰

虛腎將寒氣与腎〻得涌泉大腸藏水畏於腹中

如帛〻裹漿壺以肺寒飲為病故療於肺也

脾移熱於肝則為驚衄　脾受熱氣傳之与肝名曰驚邪脾將熱氣与

肝〻血怒盛湯為驚怖衄血也　肝移熱於心則死　肝受熱氣与心名曰屋邪肝將

熱氣〻心〻中有神不受〻外邪故令受〻邪即死也　心移熱於肺傳為鬲消

心受熱氣傳之与肺名曰賊邪〻心將熱氣与肺〻得熱氣

膈熱消〻飲多溲故〻膈消〻渴飲多〻溲故曰膈消也

[illegible]熱於腎傳為柔[illegible]之　肥女子肥也女子肥中

膈熱消〻，飲多溺，故下膈消。消〻飲〻溺，故曰膈消也。

胞移熱於膀胱，則癃溺血。胞，女子胞也。女子胞中有熱，傳與膀胱尿胞，尿胞得熱，故為淋病尿血也。

膀胱移熱於小腸，隔腸不便，上為口糜。隔，塞也。膀胱水也，小腸火也，是賊邪來乘，故下隔腸中塞，不得大便，熱上衝口中爛，名曰口糜爛也。已之文

肺移熱於腎，傳為柔痓。肺受熱氣傳之與腎，名曰柔痓。肺將熱氣與腎，腎得熱氣，名曰柔痓之病。柔痓强直，不得迴轉。

腎移熱於脾，傳為虛，腸澼死，不可治。腎受熱氣傳之與脾，名曰虛。腸澼，腎將熱氣與脾，脾主水穀，故脾得熱氣，令腸中水穀洩竭，所以腸垢澼疊不息而死。

小腸移熱於大腸，為虙瘕，為沉。小腸將熱傳與大腸，名曰賊邪。小腸將熱氣與大腸，為痛。大腸

虙瘕疊不退而亢，腸者表者大腸為宿病之謂【?】小腸得熱傳与大腸，名曰賊邪。小腸將熱氣与大腸為痛，名曰宓【?】瘕。大腸得熱，塞澀沉而不通，故得塞沉之名也。大腸熱於胃，善食而瘦入胃之食亦。大腸得熱傳与胃者，名曰虛邪。大腸將熱与胃，〻得熱氣實，消食，故善飢多食，以其熱盛食入於胃，不作肌肉，故瘦也。太義當易也，言謂中熱，故入胃之食變易消盡，不為肌肉，故瘦。胃移熱於膽，名曰食亦。胃得熱氣傳之与膽，從茶【?】膽來，名曰微【?】邪。胃將熱氣与膽，〻得於胃熱之熱氣，令膽熱消之，乃名食易。膽移熱於腦，則辛頞鼻淵。鼻淵者，濁涕下不止，傳為衄衊瞑目，故得之厥氣。淵，他典反，垢濁也。衊，巨結反，〻衊也。腦髓屬膽，〻得熱氣傳之与腦，從下而來，名曰實邪。膽將熱氣与腦，〻得膽之熱氣，鼻頞辛酸。

之府者膽移得熱氣傳之上腦從前而聚
名曰實耶腦將熱氣上腦得腦之熱氣鼻頞辛酸
流於濁涕久下不止傳為衂細眇瞑也瞑闇目難也此腦
傳之病故以之起
熱氣之所致也三陽急為瘕猶女子宮中病男子太
有瘕而為疝凡脉急者
多寒三陽謂太陽從得太陽脉急為是陰二陰急為癇厥二陰
脉多寒男子為瘕女子為石瘕之病
少陰也從得少陰脉急是為陽與陰急
而脉盛為少兒癇病手之逆冷也二陽急為驚二陽
明也陽
與陰爭少陰陽
發大小人驚也

厥頭痛

厥頭痛面若腫起而煩心取足陽明太陽
應有問答傳之日久既略故也手足陽明及手足太陽皆在

厥頭痛，頭痛甚，耳前後脈涌有熱，寫出其血，後取足少陽

應有肉番傳之日久既略故也。手足陽明及手足太陽皆在頭在面，手太陽脈心屬小腸，此壽𦚯脈失通頭痛面附冷蓋腫皮心頭故各假此四脈絡穴瀉主病者

厥頭痛，頭脈痛，心悲，善泣，視頭動脈反盛者，刺盡去血，後調足厥陰

足厥陰脈屬肝絡膽，上連目系，上出額，與督脈會於巔，故氣失通，頭痛，頭脈痛，心悲，善泣，視頭動。厥陰主悲泣，視頭動者者，視之時頭戰動也。脈反盛者，膽脈盛，可先刺去血，後取厥陰絡也，瀉主病者也

厥頭痛貞貞，頭重而痛，寫頭上五行行五，先取手少陰，後取足少陰

貞，竹耕反。貞貞，頭痛甚皃。手少陰心脈起心中，從心係目系。足少陰腎脈貫脊屬腎，上貫肺，入肺從

手少陰後取足少陰甚良手少陰心脈起心中從心係目系足少陰腎脈貫脊屬腎上貫肝入肺從肺出絡心故心氣失逆上衝於頭痛耳之逆心神所居故先取心脈輸穴後取腎脈輸穴療主病者

厥頭痛意善忘按之不得取頭面左右動脈後取足太陰足太陰脈與足陽明合也足陽明循頭面左右動脈在客主人及太迎脾肺氣所至脾神是意其穴足太陰可以太陰氣之失逆意意善忘不痛在神按之難得可取頭面左右足陽明動脈後取足太陰輸穴療主病者

厥頭痛頭痛甚耳前後脈涌有熱寫出其血後取之足少陽足少陽膽脈起目兌眥上抵角下耳後其支從耳後入耳中出走耳前故足少陽氣之失逆頭痛甚耳前後脈涌動者有熱也可刺去

厥頭痛項痛

入耳中也，走耳前，故足少陽氣之失逆，頭痛甚，耳前後脈涌動者有熱也，可刺去熱血，後取足少陽療主病者。厥頭痛，頭痛甚，耳前後脈涌有熱，寫出其血，後取足少陽。足少陽脈起目兊眥，上抵角，下耳後，其支從耳後入耳中，出走耳前，故足少陽氣之失逆，頭痛甚，耳前後脈涌者有熱也，可刺去熱血，後取足少陽療主病者。厥頭痛，項脊為應，先取天柱，後取足太陽。足太陽脈起目内眥，上額交巔，入絡腦，還出下項，挾脊抵要中，入循膂，絡腎屬膀胱，故足太陽氣之失逆，頭痛項先痛，膂脊相應也。先取足太陽之天柱，次後取足太陽下輸穴，療主病者。真頭痛，頭痛甚，腦盡痛，手足寒至節，死。[illegible]台頭痛，腦痛，腦甚，氣逆，故手足

病者

真頭痛頭痛甚腦盡痛手足寒

至節死不治 頭痛腦痛既甚亂逆故手 足冷至節經則死也 頭痛

不可取於輸者有所擊墮血在於內

若肉傷痛未已可即刺不可遠取也 取輸 難愈

故曰不可又有擊墮留血可以近 處所即刺之不可取其遠輸者也 頭痛不可刺者 頭 痛

大痺為惡日作者可令少愈不可也

有不可刺者此為大痺在頭惡甚日日作作發也刺之可 令少愈不可除也謂寒濕之氣入腦以為大痺故也

頭半寒痛先取手少陽陽明後取足少陽

明手足少陽陽明在頭面左右箱故手脈行行以頭

[illegible]實[illegible]頭[illegible]陽[illegible]目行耳足少陽

陽明 手足少陽〻明在頭面左右箱故手脉行至頭足脉行遠頭所以頭之左箱半痛之者可刺左箱手之少陽〻明故積刺右箱足之少陽〻明右亦如之也

厥使脊而痛至項頭沉〻然目䀮〻然腰脊強取足太陽膕中血絡 謂目項及脊膕足太陽脉所行故生病膕中〻也

厥胷滿面腫脣思〻然暴言難甚則不能言取足陽明 此皆足陽明脉所行故取足陽明輸療主病者

厥氣走喉而不能言手足清大便不利取足少陰 手[illegible]者手少陰与足少陰通故手足[illegible]

而不能言手足清大便不利取足少陰清
者手少陰與足少陰連故手足
登取足少陰輸療主痛者也　厥而腹響〻
然多寒氣腹中榮〻便溲難取足太
陰　脾脈多寒便溲不利皆是
足太陰脈所為故取之也

厥心痛

厥心痛與背相控如從後觸其心傴僂
者腎心痛也先取京骨崑崙發針不已
取然谷　腎脈足少陰貫脊屬腎絡心故腎氣逆令
心痛控背腎在於後故腎病痛心如物從
後觸心而痛脊背傴僂也京骨在足外側大骨下赤白

取然谷心痛控背，腎於於後，故腎痛瘛，心如物從後觸心而痛，脊背傴僂也。京骨在足外側大骨下赤白肉際，腎府足太陽脈所過。崑崙在足外踝跟骨上，足太陽脈所行。然谷在足內踝前起太骨下，足少陰脈所流，故腎心痛皆取之也。

厥心痛，腹脹胷滿，心尤痛甚，胃心痛也，取之大都、大胃脈足陽明屬胃絡脾，脾脈足太陰流於大都，在足大指本節後陷中；注於太白，在足內側覈骨下陷中。支者別胃上膈注心中。脾胃主水穀，水穀有餘則腹脹，胷滿尤大也。此府痛厥於藏輸也。

厥心痛，痛如錐針刺其心，心痛甚者，脾心痛也，取之然谷、太谿然谷足少陰脈所流，在足內踝前起太骨下陷中；太谿足少陰脈所注，在足外踝骨上動脈陷中。五心[illegible]大鐘足内踝前起大骨下陷中太谿足少陰脉所注在足外踝骨上動脉陷中並是之少陰流注脾氣乘心心痛可療脾之輸穴令療腎足少陰流注之穴若以脾是土腎為水土當尅水水反乘脾脾乃與心為病故速療腎輸也

厥心痛色蒼蒼如死狀終日不得大息肝心痛也取之行間太衝蒼青色也肝病也不得大息肝主於氣令及氣已痛不得出氣大息也太衝在足大指本節後二寸陷者足厥陰脉所注

厥心痛臥若徒居心痛間動作痛益甚色不變肺心痛也取之魚際大淵肺主於氣氣以流動流動之氣乘心故心痛臥若徒居坐遲於他處也以氣流動故心痛[illegible]也動作甚氣所

取也頁之魚際大淵乘心故心痛卧若移居至於他處也以氣流動故心痛少間也動作益氣所痛故益甚也肺氣是心藏邪不能令色變魚際在大指本節後內側散脈中手太陰脈之所留大泉在手掌後陷者中手太陰脈之所注也真心痛手足清至節心痛甚旦發夕死夕發旦死心心不受邪受邪甚者痛聚於心氣去聚心故手足冷所以死速也心痛不可刺者中有盛聚不可取於腧腸中有蟲瘕及蛟蛕皆不可取小針心痛甚取輸死蛊者乃是腸中有虫瘕蛟蛕腸中長虫也吾安可以按得大針刺之不可用小針心腹痛懊作痛腫聚往來上下行痛[illegible]

之不可用小針 心腸痛憹作痛腫聚往來
上下行痛有休止腹熱喜渴涎出者是蛟
蛕也以手聚按而堅持之[illegible]令得移以大
針刺之久持之蟲不動乃出針也恚腹憹
痛形中上者 憹聚結也奴道反謂心腹之內蟲聚而
痛懊憹懊憹然也蟲虫蛕聚痛者陳
聚也食已而藏故依上也又聚種於胃故熱渴涎出也
若蛕相聚所以蛕痛蚘也惡大悁音釬反滿也謂蟲聚
心腹滿如腹聚高
起故曰形中上者也 心痛引腰脊欲歐取之少
陰 足少陰脈行腰脊上貫心故心痛
引腰脊欲歐取少陰脈輸穴也 心痛腹脹嗇
嗇然大便不利取足太陰 足太陰脈主腹故取

陰引腰脊欲歐取少陰脉輸穴也 心痛腹脹嗇

嗇然大便不利取足大陰 足太陰脉主腹故取足太陰輸穴嗇嗇惡寒

之皃也 心痛引背不得息刺足少陰不已取手

少陽 足少陰脉貫脊胎心手少陽脉主三膲氣故心痛引背不得息取此二經輸穴療主痛者也

心痛少腹滿上下无常處便溲難刺足

厥陰 足厥陰脉環陰器抵少腹故少腹滿便溲難取此脉療穴可主病者 心痛但短氣

不足以息刺手太陰 手太陰主於氣息故氣不足息取此脉療主輸穴

心痛當九節刺之不已刺按之立已不已

上下求之得之立已 明堂第九節下有傍是

心痛當九節刺之，不已，刺之立已，不已，上下求之，得之立已。明堂第九節下當傍是脊膂中央是筋縮穴，不言療心痛，此經言療取之，刺此節不已，其上下背膂尋之，有療心痛取之。心痛暴痛，取足太陰厥陰，盡刺去其血絡。足太陰也，心中之厥陰經肝注肺，故心暴痛，取此二脈，去其血絡也。

寒熱雜說

皮寒熱，皮不可附席，毛髮焦，鼻槁腊，不得汗，取三陽之絡，補手太陰。肺主皮毛，風成爲寒熱，寒熱之氣在皮中，故皮色焦，不可近席，以熱甚故皮色焦，鼻是肺竅，氣連於肺。

[illegible]之氣右皮手故皮色表不可近席以熱甚故皮色焦鼻是肺竅氣連於鼻故取腋下汗也腋肉氣也三陽皆從手上大交腋三陽右几條寸瀉之太陰氣之不足補之也

肌寒熱，肌痛，毛髮焦而脣槁腊，不得汗，取三陽於下以去其血者，補太陰以出其汗。寒熱之氣在於肌中，故肌痛毛焦進也。脣口爲脾官，脾氣連肌肉，故肌熱脣口槁腊不得汗也。是爲足三陽氣，故去其血也。足太陰脾，故補之出汗。

骨寒熱病，無所安，汗注不休，齒未槁，取其少陰於陰股之絡；齒已槁，死不治。骨厥亦然。寒熱之氣在骨，骨之熱，故無所安，汗注不休也。齒槁，骨死之候；不槁者，

股之絡齒已槁死不治骨厥亦然 在骨之熱
故无所安汗注不休也齒槁骨死之候未槁者
取足少陰〻股間絡以足少陰内於骨故也
骨痺·舉節不用而痛·汗注·煩心取三陰之
經補之 寒濕之氣在於骨節變痺不屈而痛汗注煩
心名爲骨痺是爲手足三陰皆虚受諸寒濕
故留針補之令
濕痺去之矣 身有所傷血出多及中風寒若有
所墮墜四支解㑊不收名曰體解取其少
腹臍下三結交三結交者·陽明·太陰也·臍下
三寸關元也 因傷出血多一也中風寒二也有墮墜三
也體者四支也三者俱能令人四支解惰不
能收者名曰體解之病可取之足陽明足太陰於臍下小腸

[illegible]也體者四支也三者俱能令人四支解墮不能收者名曰體解之病可取之足陽明足太陰於齊下小腸募關元穴也三結者足之三陰太陰之氣在齊下与陽明交結者也厥痺者厥氣上及腹取陰陽之胳視主病者寫陽補陰經夫足之氣從足上行及於少腹取足之陰陽之胳所主之病寫去其血補足三陰經也頸側之動脈人迎〻〻足陽明也

嬰筋之前嬰筋之後手陽明也名曰扶突次脈手少陽脈也名曰天牖次脈足太陽也名曰天柱腋下動脈臂太陰也名曰天府膺前當中任脈謂之天突任脈之側動脈足陽明在嬰

名曰天柱腋下動脈臂太陰也名曰天府

膺前當中任脈謂之天突任脈之側動脈足陽明在嬰
筋之前人迎也名足陽明者前十二經脈足太陰屬脾絡
胃上膈俠陽明連舌本足少陰從腎上貫膈入肺循喉
嚨俠舌本足厥陰屬肝絡膽循喉嚨後上入頏顙連目系上
額與督脈會於巔支者從目系下頰裏此足三陰至頸項之
中所行處深故不得其名足厥陰雖至於頰不當頸項徑處
故其穴不得脈名手少陰心脈雖循胃系同系以心不受
邪其氣不盛手心主脈從心包循胸出脅不至頸
項又是心包其更不盛故此二脈之穴不得脈名手太陰肺
脈以肺居藏上主氣其氣泛盛雖不至頸項發於氣
穴得於脈名手足三陽手太陽脈雖循頸上頰至目
兌眥以是心府其氣不盛故穴不得脈名足少陽膽府
脈起目兌眥下行至胃以膽穀氣不盛故其穴不得脈名
惟手足陽明穀氣淹盛手足少陽三焦之氣有本處足少陽
義例誤耳足太陽諸陽之長所以此之四脈脈手太陰入於五部

衆手足陽明穀氣徒盛手足少陽三焦之氣有本属足少陽
故例取手足太陽諸陽之長所以此之四脉上〻手太陰入於五部
太輸之數也與彼本輸之中脉次多少不同彼中十二經脉
之中唯無足之三陰手之少陰手足諸陽皆悉具也奇
經八脉之中有任有督以爲經次此中唯取五大容輸以
爲差別

陽逆頭痛胸滿不得息取人迎是陽明經大迎該縣

際至額顱故陽明氣逆頭痛也支者下人迎循喉嚨屬
胃絡脾故氣逆胃滿不得息可取人迎人迎胃脉主水穀
營五藏之氣寸口爲陰此脉爲
陽以候五藏之氣禁不可灸也

暴瘖氣鞕取扶突

与舌本出血手陽明別走太陰者從肩髃上曲頰偏齒入耳中會宗脉宗脉皆入耳中故耳中脉
名宗脉也所以人暴瘖氣鞕取此手足之陽明扶突之穴出
此得已氣在咽中如魚鯁之狀故曰氣鞕舌本一名風府
在項入髮際一寸督脉上今手陽明正經不至風府諸

出得足氣在咽中如炙臠之狀故曰氣鞕舌本一名風府在項入髮際一寸督脈上令手陽明正經不至風府言是耳中宗脈此舌本以血有餘是寫出也

暴聾氣蒙耳目不明取天牖手少陽經脈中上從耳後交者從耳後入耳中走出耳前至目兌眥故手少陽病耳暴聾暝暝不得明了者可取天牖在頸筋缺盆上天容後天柱前完骨下髮際上也

暴攣癇眩足不任身取天柱足太陽脈起目內眥上額交巔入絡腦下使脊挾膂循脊過髀樞合膕貫腨出外踝後至小指外側故此脈病暴脚攣小兒癇頭眩足痿可取天柱天柱俠項後髮際大筋外廉陷者中也

暴癉內逆肝肺相搏血溢鼻口取天府此為大輸五部

熱氣為癉手太陰脈起於中焦下絡大腸還循胃口

暴癉内逆，肝肺相薄，血溢鼻口，取天府，此爲大牖五部。熱成爲痺。手太陰脉起於中焦，下絡大腸，還循胃口，上膈屬肺，故此脉病肺脹熱痺，脾胃氣逆，肝肺之氣相薄，熱使内逆，溢鼻口，故取天府。天府在掖下三寸，臂臑内廉動脉，此爲頭項之脉，藏府五部大輸。

臂陽明有入頄徧齒者，名曰大迎，下齒齲取之臂，惡寒補之，不惡寒寫之。臂陽明手陽明脉也。手陽明脉從手上行，循臂入缺盆，下絡肺，支者從缺盆行頸節後上頰入至下齒中，還出俠鼻，甚是陽明交頞中，下入上齒中，還出循頭至大迎。一者從大迎下行，繫筋之弟至人迎，至繫筋時，二經皮部之胳相至，二經故臂陽明之氣來從人迎，故稱有入，所以齒齲取於手之兩陽脉也。惡寒陽虛，故補之；不惡寒者陽實，故寫之也。

足太陽有入頄徧齒者，名曰角孫，上齒

寒陽虛故補之不惡寒者陽實故寫之也

足之太陽有入頄偏齒者名曰角孫上齒

齲取之在鼻與鼽前方病之時其脈盛

則寫之虛則補之一曰取之出眉外方病

之時盛寫虛補 偏音遍足太陽脈起目內眥上額其 其太陽支別之脈有下入於頄後撚上齒又入於耳氣發角孫之穴故曰有入頄以主齲齲者取之鼻及鼽骨之前有胳見者則去其血虛則補之補之可飲補藥眉後謂足陽明上關穴也上關在耳前上廉起骨開口有空可量虛實以行補寫也

足陽明有挾鼻入於面者名曰懸顱屬

足陽明有侠鼻入於面者名曰懸顱屬

口對入繫目本視有過者取之損有餘益

不足反者益甚足陽明大絡起鼻交頞下鼻外入上齒中還出侠口交承漿循頤出大迎上耳前循髮際氣發懸顱之穴有皮部至腦与小相當入繫目系對當也視此足陽明有餘不足可損益之取之矣若反益甚也

足太陽有通項入於腦者正屬目

本名曰眼系頭目固痛取之在項中

兩筋間入腦乃別足太陽經起目内眥上額交巔上其直者從巔入腦還出別下項有脇屬於目本名曰目系太陽爲目上綱故名是太陽与目爲系令別來屬於二其義是處從頭与

目有固痛者取於項中足太陽筋兩間別下項者氣

然是太陽与目為系今別來屬於之其新是庭從頭与目有關痛者取於頂中足太陽筋兩間別下項者氣之所發大椎穴者大椎在第一椎上陷者三陽督脈之會也

陰蹻陽蹻陰陽相交陽入陰出陰陽交於兌眥陽氣盛則瞋目陰氣盛則瞑目

二蹻皆起於足行至於目是以二蹻同向上行何以猶陽入陰出也人之寤氣出於陽也寐氣入於陰也故寤寐之時時在口為出於頭足三出寐氣之時在口猶入於頭足次入今於目皆謂陰陽出入以相交會目得明也所以陽盛目張不能合陰盛則目瞑不得開宜取此二蹻也

寒厥取陽明少陰於足留之

失逆寒氣從足而上令足逆冷可取足少陰脈太谿在足内踝後骨上動脈陷中及取足陽明脈解

陷者知皆之　足少陰脉太谿在足内踝後骨上
動脉陷中及取足陽明脉解　熱厥取足太陰少
〻谿〻注足衝陽後一寸半
陽　失逆熱氣從足起者可取足少陽絡光明在外踝
上五寸別走厥陰者及足太陰脉療上病者也
從涎下煩寃取足少陰　足少陰脉從足心上行屬
腎絡膀胱貫肝膈入肺
循喉嚨俠舌本支者從肺絡心注胸中故出脉厥熱從涎下
心中煩寃取足少陰然谷穴然谷在足内踝前起大骨
下陷者
中也　振寒洒〻鼓頷不得汗出腹脹煩
悗取手太陰　洒音洗手太陰脉起於中焦下絡大腸
還循胃口上膈屬肺別者上出缺
盆循喉嚨合手陽明從缺盆上頸貫頰入下齒中肺
以惡寒故肩病振寒鼓頷也循胃屬肺故腹脹煩悗
〻奇肉可〻取手〻太陰少商高穴水剌[illegible]

以息寒，故虛病振寒，皷頷也。脩胃屬脾，故腹脹煩悗。

〻奇間下，取手太陰少商高穴小絡，在手太指端内側，去爪甲角如韭葉。刺虛者刺其去也。謂營衛氣已過之處為去。故去者虛也，補之令實。刺實者刺其來也。謂營衛氣方至之處為來。故來者為實，寫之使虛也。春取絡脈。春特肝氣始生，風疾氣急，經氣向深，故取絡脈分肉之間，療人皮膚之中病也。夏取分腠。夏特心氣始長，脈瘦氣弱，陽氣流於經，隧溝洏熏，然〻分腠内，重於經，故取分腠以去肌内之病也。秋取氣口。秋特肺氣將斂，陽氣在合，陰氣初勝，溼氣及體，陰氣未盛，故取氣口以瀉協脈之病氣口邪谷也。冬取經輸。冬特腎氣方閉，陽氣衰少，陰氣緊亡，陽脫，故取經井之輸，以下陰氣，取榮輸，實於陽[illegible]

口所谷也。冬取經輸，陰氣緊，大陽伏沈，故取經井之輸以下陰氣，取滎輸實於陽氣，療於骨髓五藏之病也。凡此四時各以為齊。絡脈治皮膚，分腠治肌肉，氣口治筋脈，經輸治骨髓五藏。齊音劑也。身有五部：伏兔一，伏兔在膝上六寸起肉，足陽明氣所發，禁不可灸。又不言深，針此處深為第一部，故生癰疽者死也。腓二，腓者腨也，腓音肥，取筋之下名為腨腸，一名直腸，脈在腨中央陷中，足陽明太陽氣所發，禁不可刺，故腨為要害之處，生癰疽者死也。背三，自果椎已上廿一椎南椅箱，脊去藏府甚近，皮肉不薄，若生癰疽附而為死也。五藏之輸四，五藏手足廿五輸，當於輸穴生癰疽者死也。項五，項之前曰頸，後曰項，三陽督脈之帀一周匝

而為死也 五藏之俞出輸穴生癰疽者死也 項五 頭之前曰顙後曰項三陽督脈在項故項生癰疽致死也 五部有癰疽者死 癰疽害甚生故穴之要處致死 病始手臂者先取手陽明太陰而汗出 以下言療熱病脈先後熱病等所起之於四支及頭故病起兩手者可取手陽明井商陽在手大指次指內側去爪甲角如韭葉以手陽明穀氣盛也及手太陰郄孔最在腕上七寸也 病始頭首者先取項太陽而汗出 有熱等病起於頭者可取於項足太陽脈天柱之穴天柱在俠項後髮際太筋外廉也 病始足脛者先取足陽明而汗出 病起足者可取陽明合三里穴三[illegible]手太陰

病始足脛者先取足陽明而汗出[illegible]者可取陽明合三里穴三里在膝下三寸䯒外廉臂太陰可出汗手太陰脈主氣故出汗取之也足陽明可出汗足陽明主水穀多氣血故出汗取之取陰而汗出甚者止之於陽取陽而汗出甚者止之於陰取陰脈出汗不止可取陽脈所主之穴止者取陽脈出汗不止可取陰脈所主之穴也凡刺之害中而不去則精泄不中而去則致氣精泄則病甚惟致氣則生為癰瘍凡行針要害无過二種一種者刺中於病補寫不以時去針則泄人精氣刺之不中於病所便去針以傷衆肉故氣聚青成癰也

[illegible]取精寫不以時去針則洩人精氣判之不中於病所便去針以傷宗肉故致氣聚精洩發虛甚病甚屢恇恇怯也氣聚不散而爲癰爲瘍也

癰疽

黄帝問於岐伯曰余聞腸胃受穀上焦出氣以温分肉而養骨節通腠理（上焦）出衛氣衛氣爲陽故在分肉能温之也氣潤骨節骨節腦髓皆盡須長故爲養也令腠理无癰從而通中焦出氣如露上注谿谷而滲孫ヽ脉ヽ津液和調變化而赤爲血ヽ和則孫脉先滿ヽ乃注於絡ヽ脉皆盈乃注於經脉

[illegible]

脉先滿〻乃注於胳〻脉皆盈乃注於经脉出氣謂營氣也经胳及孫胳有内有外内在藏府外在筋骨肉間藏入於胃精液滲諸孫胳入於大〻胳〻入经流注於外〻〻之孫胳以受於寒温四時之氣入胳行经以流於内令明水穀精液内入孫胳乃至於经也内外经胳行於藏〻府〻氣於乃從来也陰陽已張因息乃行〻有经纪周有道理与天合同不得休止不得休息也陰營氣也陰衛氣也神之動也故出入息動〻之動也營衛氣行營衛氣行也有经纪營衛周行不息理也与天道同運天運非常之道故不休也切而調之從虚去實寫則不足疾

[illegible]

休也 甘之言之在[illegible]實[illegible]則不足時

則氣藏留則先後從實去虛補則有餘

血氣已調形神乃持余已知血氣之平与

不平未知癰疽之所從生成敗之時死生

之期々有遠近何以度之可得聞乎 切專至也

用心專至調虛實也寫者以須於虛專去盛實寫之

甚者則不足也氣主因而瘀寫則受氣盛氣矣

留而不寫針針与氣先後不相得也若須實唯去於

虛々之甚者則有餘也是以切而調之者得之於心不可過屈

實也故善調者補寫々氣使形与神相保守也補者

保守也如此語養血氣平与不平言已知之猶未通

癰疽三種之變由[illegible]至疾[illegible]行[illegible]

保守也。如此語，養血氣，平与不平，言已知之，然猶未通

癰疽三種之

論，故請所聞。岐伯曰：經脈留行不止，与天同

度，与地合紀。此言天有度數，地有經紀。故天宿失度，日月

薄蝕；地經失紀，水道流溢，草蓂不成，五穀

不殖；徑路不通，民不往來，巷聚邑居，別離

異處。蓂，古支草名也，其所結也。此言天度地紀，大小之數，一揆也。血氣猶然，請言

其故。夫血脈營衛，同流不休，上應星宿，下

應經數。此言人之血氣合於天地。寒氣客於經絡之中則

[illegible]

處氣要 氣合於天地 寒氣客於經絡之中則

血々泣々則不々通々則衛氣歸之不得復

反故癰腫寒氣化爲熱々勝則腐肉々腐

則爲膿々不瀉則爛筋々爛則傷骨々傷則

髓消不當骨空不得泄寫血枯空虛則

筋骨肌肉不相榮經脈敗漏熏於五

藏々傷故々死矣 此言血氣行異有傷於死也 黃帝曰願盡

聞癰疽之形與忌日名 凡有三問一問癰疽形狀二問癰疽死生忌日

三問癰疽[illegible]

聞癰疽之形与忌曰名次二問癰疽死生忌曰三問癰疽名字也岐伯曰癰發於嗌中名曰猛疽猛疽不治化為膿膿不寫塞咽半日死其化為膿者寫已則合豕膏毋冷食三日而已下卷癰疽有狀及名并所發處合廿一種一十八種有名有狀有所發處三種但有所發之處无名与狀廿一種中六種无死忌日餘十四種皆有忌日凡癰疽所生皆以寒氣客於經胳之中令血泣不通衛氣歸之寒極化為熱氣成癰膿腐內為癰爛筋壞骨為疽疽者療之可生重者藏死名猛疽等此等癰疽之名長人見其由立之名狀如左隨變為形亦應不可勝數也近以皆人无不本名之有隨意立稱不可為信嗌咽也寒氣客脈之處所[illegible]

脉數也近代醫人无不識本名之旨隨意立稱不可爲信

發用也寒氣客脉之處所義然以爲癰疽无常處也發於頸名曰夭疽其

癰大以赤黑不急治則熱氣下入淵腋

前傷任脉內熏肝肺熏肝肺十餘日而死

矣項前曰頸陽氣大發消腦留項名曰腦爍

其色不樂項痛而刺以針煩心者死不

治頸後曰項發於肩及臑名曰疵癰其狀赤

黑急治之此令人汗出至足不害五藏癰

[illegible]肩与臂上[illegible]

發四五日逞焫之（肩下臂上脇内名臑）發於掖下赤堅名曰米疽治之砭石欲細而長數砭之塗以豕膏六日已勿裹之（砭甫廉反）（從掖以石刺癰之砭細而長者傍其源也）其癰堅而不潰者爲馬刀挾癭急治之（馬刀未館癰不膿潰者是也頸帶曰癭也）發於胷名曰井疽其狀如大豆三四日起不早治下入腹不治七日死（井疽熱三四日不療下入腹者）

熱不去十歲死死後出膿

甚不早治一[illegible]入腹不治七日死不療下入腹浮

熱不去十年死也發於脇名曰敗疵敗疵者女

之病也灸之其病大癰膿治之其中乃

有生肉大如赤小豆剉蔆翹草根各一

升水一斗六升煮之竭為三升即強飲厚

衣坐釜上令汗出至足已敗一日改量謂此疽生於女子

故釜上蒸之出汗即已有本翹松各一升發於股胻名胻疽其狀

不甚變而癰膿搏骨不急治卅日死

曰股之外曰髀骹上[illegible]

[illegible]內

曰股，股外曰髀，髀上股下骨稱曰股，股衛也發於尻，名曰兌疽，其狀赤

堅大，急治之，不治卅日死矣尻，脽也脽音誰發於股

陰，名曰赤施，不急治，六日死，在兩股之內

不治，六十日而死陰下之股發於膝，名曰疵疽

其狀大癰，色不變，寒熱而堅，勿石，石之死

須其柔乃石之者生勿石之者，唯例皆死之，此候亡太之疏，冷石熨之，因以

堅而不石，以其寒聚結，聽柔乃石之諸疽癰之發於節而

目[illegible]當節生癰，膿入節[illegible]

須其柔乃石之者生諸癰之發於節而相應者不可治也當節生癰膿入節間傷液故不可療也發於陽者百日死發於陰者卅日死也丈夫陰器曰陽婦人陰器曰陰發於脛名曰兔齧其狀赤至骨急治不治害人也脛謂膝下脛骨也發於踝名曰走緩其狀色不變數石其輸而止其寒熱不死色不變肉色不變也石其輸者以砭石刺其所由之輸也發於足上下名曰四淫其狀大癰不色變不治百日死足上下發足趺上發於足傍名曰厲疽其狀不大初

四淫其狀大癰不急治之百日死 下裁

足趺上下也 發於足傍名曰厲疽其狀不大初如小指發急治之去其黑者不消輒益不治百日死 傍謂足外之側也 發於足指名曰脫疽其狀赤黑死不治不赤黑不死治之不衰急斬去之治不然則死矣 不則死者不斬去死也

黄帝曰夫子言癰疽何以別之岐伯曰營衛稽留於經脈之中則血泣而不行

[illegible]

營衛稽留於經脈之中則血泣而不行

〻〻則衛氣從之從之而不通壅遏而不得

行故曰火熱不止熱勝則肉〻腐〻則為膿

然不能陷於骨髓〻〻不為燋枯五藏不

為傷故命曰癰（營衛稽留經脈泣不行者寒氣客之血泣不行衛氣歸在泣血之中也）

黃帝曰何謂疽岐伯曰熱氣淳盛下陷

肌膚筋髓骨枯內連五藏血氣竭當其

癰下筋骨良肉皆無餘故命曰疽（癰下者即前之）

癰疽膚肉筋骨離斷之六疽首上之一支文又足

疼下背胸自以下餘古命曰疵所常之

癰疽膺肉筋骨髓藏之六種皆壽破壞命之曰疽也

疽者上之皮夭以堅上如牛領之皮癰者其皮上薄以澤此其候也黃帝曰善

此言其癰疽之候異

黃帝問於岐伯曰有病癰腫頸痛胸滿腹脹此爲何病何以得之

曰於癰腫有此三病未知所由故請之也

岐伯曰名厥逆

曰癰腫氣聚氣生逆上上盛故頸痛下虛故胸滿腹脹也

曰治之奈何曰灸之則瘖石之則狂須其氣并乃可治曰

何以然陽氣重上有餘於上灸之則

則瘖石之則狂須其氣并乃可治曰

何以然曰陽氣重上有餘於上灸之則

陽氣入陰則瘖石之則陽氣虛虛則狂

須其氣并而治之可使全黃帝曰善灸之瘖者陽氣上實陰氣下虛灸之大壯陽盛溢入陰故瘖以灸石發之則陰氣獨盛陽氣獨虛以陽氣獨虛發於狂可任自和然後療之使之全也黃帝問曰諸癰腫筋攣

骨痛此皆安生問於癰腫本此二病故請所生岐伯曰此寒

氣之腫也八風之變也曰治之奈何曰

[illegible]筋骨是陰加

……治之奈何

此四時之病也，以其勝治之愈。筋骨是陰，加以寒氣，故為寒腹也。此乃四時八正虛風變所為也，以其所勝剋之則愈也。

蟲癰

黃帝問於岐伯曰：氣為上鬲，上鬲者，食飲入而還出，余已知之矣。蟲為下鬲，下鬲者，食晬時乃出，余未得其意，願卒聞之。晬，子內反。下鬲癰也。氣之在於上管癰而不通，食入還所以出；蟲之在於下，下食晬時而出。蟲未岐伯曰喜怒不適……

蟲爲隔之癰而不適食入還所出蟲之在於下〻〻食晬時而出蟲在下虛聚爲癰故須問也岐伯曰喜怒不適食飲不節寒溫不時則寒汁流於腸中流於腸中則蟲寒〻〻則積聚守於下管守於下管則下管充郭衛氣不營邪氣居之人食則蟲上食蟲上食則下管虛〻〻則邪氣勝之積聚以留〻〻則癰〻成〻〻則下管約其癰在管内者則沉而痛深其癰在外者則癰外

[illegible]下管約其痛在管內

者則沉而痛深其癰在外者則癰外而痛浮癰上皮熱此癰之痛所由有三一曰喜怒傷神不得和適二曰飲食不節三曰隨時寒溫不以時變此三曰中隨有一種飛和則寒邪汁下流於腸中令腸內蟲寒聚滿下管然後則氣不得有營邪氣居之又因於食蟲聚上食下管遂居邪氣積以成癰其癰若在管內其痛則深若在管外其痛則浮當癰皮熱以為候也

黃帝曰刺之奈何岐伯曰微按其癰視氣所行以手輕按癰上以候其氣取知癰氣所行有三一欲知其癰氣之盛衰二欲知其癰之淺深三欲知其刺處之要故按以視也先淺刺其旁稍內益深還而刺之毋過三行候其癰

癰之淺深三砭知其刺處之要故極以視也先決其

傍稍内發深遂而刺之毋過三行 候其癰 傍氣之

來處先刺深刺後以發深者欲邊氣令行也 還復也少此更復刺不得過於三行也 察其沉

浮以爲深淺 沉浮淺深也察癰 之淺深以行針也 已刺必熨令

熱入中日使熱内邪氣益衰大癰乃潰

寒汁邪氣聚以爲癰故癰寒也令刺已熨之 令熱入中者入曖寒使十六日有内熱寒去癰潰也 以參

伍禁以除其内 去可舍於聚蒿元參舍三 日其病已矣參伍揣量也 恬惔

無爲乃能行氣 夫情有所在則氣有所并氣 有所并則不能營衛故恬惰

恬惔元爲[illegible]後又脩[illegible]已至[illegible] 酸爲少陽者

□居之氣大著 有所弃則不能營衛故息情
恬惔无為則氣将自治也 後以酸苦化穀乃下 酸為少陽苦為太陽此二
味為泄故令之他藥也

寒熱瘰癧

黄帝問於岐伯曰寒熱瘰癧在於頸腋
者皆何氣使生岐伯曰此皆鼠瘻寒熱之
毒氣也堤留於脉而不去也 風成為寒〻熱之變亦不勝熱乃至
此毒為〻也今行瘰〻雖遍遊為瘰癧鼠也瘻〻瘻 黄帝曰去之奈何

還逐為瘰癧鼠也狼瘻瘻 黃帝曰去之奈何

岐伯曰鼠瘻之本皆在於藏其末上於頸腋之間其浮於脈中而未內著於肌肉而外為膿血者易去也寒熱之氣在肺腎藏中脩脈而上義於頸腋不生耳仍在脈未治肌肉言其淺也為膿血發外淺氣少故易去也

黃帝曰去之奈何

岐伯曰請從其本引其末可使衰去而絕其寒熱審按其道以予之徐往徐來以去之本謂藏也末謂瘻處也道謂藏府脈行所發穴路也徐往來者動針法也其小如麥者一刺知三刺而已瘻之得除

脉行所發之路也。徐往來者，動針

徐其小如麥者，一刺知，三刺而已。瘦之得愈，不一劑也。

黃帝曰：決其死生奈何？岐伯答曰：反其目

視之，其中有赤脉，從上下貫瞳子，見一

脉，一歲死；見一脉半，一歲半死；見二脉，二

歲死；見二脉半，二歲半死；見三脉，三歲而

死。見赤脉不下貫瞳子，可治。以下言死生候也。寒熱已成瘰，瘰在

太陽，太陽為目上綱，其脉下見。今太陽從瘰入胳中，甚者并於中，中有瞳子，瞳子者一胃之精，為寒熱，熱傷甚，故一脉為

貫，一歲死也。若為二三，氣殺未備，故二三歲死也。

於中……噎子……背之……爲……熱傷甚故一歷

費一歲死也若爲二三氣義未備故二三歲死也

有未然不具從子可得療者以未傷骨精故也

寒……

寒熱之……先取項大椎以年爲壯數 大椎穴三

骨骶……故於……熱……取明堂 尾椎有……傷……病未……寒熱之 次灸厥骨以

年爲壯數視背俞陷者灸之 此脈中五寒而少故

取背輸陷也厥骨脊骶骨也 與臂肩上陷者灸

本厥方……一字……

臂肩太取厥陷療寒 一云 掌背之間灸之 季助本

熱之要病身者穴也 使孫京

外……一……也……背……一節……之……陽輔……一

一熱之數府負等穴也[illegible]名之俠[illegible]京

外踝之上絶骨之端各一陽輔穴等足小

指次指間各一臨下陷脉各一

外踝之後各一崑崙等穴也缺盆骨上切

之髂痛[illegible]膂筋者各一之膺中陷骨間各一

掌下各一臍下關元三寸各一毛

際動脉各一膝下三寸分間各一足陽明

之跗上動脉各一直上動脉各一大[illegible]

熱之[illegible]熱[illegible]之一三上[illegible]以火[illegible]痛土[illegible]

齧處灸之，三壯，即以犬傷痛壯數灸之也。凡當灸廿七處（肝音干，紫背穴也。衝陽季穴也。題云：灸寒熱法，此惣數之廿七處，中有偽甚難以依取。氣揞而灸之，不可為定。丁要反也）。傷食灸不已者，必視其經之過於陽者，數刺之輸氣，藥之也（傷飲為病，灸之不得愈者，可刺，可刺法，可刺大經汗還之，諮出血及飲藥，飲之陽路脈也）。

黃帝內經太素卷第廿六

黄帝内經太素卷第廿六　寒熱

仁安三年八月廿日以同本書之
以同本移點校合了
丹波賴基

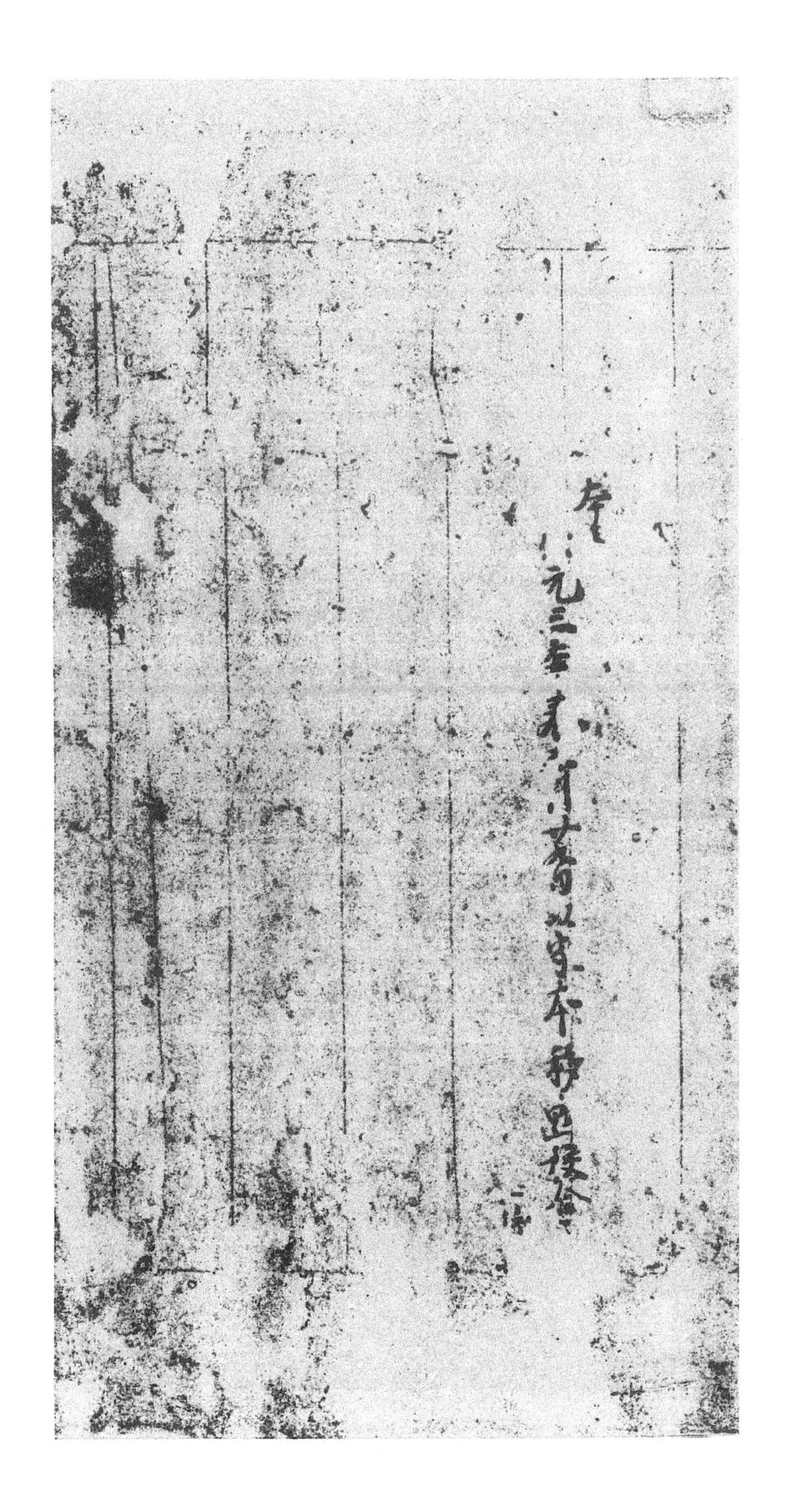

黄帝内經太素卷第廿七　邪論

黄帝内經太素卷第廿七

通直郎守太子文學臣楊上善奉　勅撰注

七邪　十二邪

邪客　邪中

邪傳

七邪

黄帝問於岐伯曰余嘗登於清冷之臺中

階而顧匍匐而前則惑[illegible]

黃帝問於岐伯曰余嘗登於清泠之臺中階而顧匍匐而前則惑余私異之竊内怪獨瞑獨視安心定氣久而不解獨轉獨眩披髮長跪俛而視之後久之不已卒然自上何氣使然小怪曰異之大異曰怪之瞑目合也俛而視之下直視也何氣使然問其生惑所由也轉有為博眩有為眩暈誤也泠有本為零也岐伯曰五藏六府之精氣皆上注於目而為之精五藏六府精液及藏府之氣清者上界注目以為目之精也精之果者為眼精之果別稱為眼果音顆骨之精為瞳子腎精主骨骨之精為瞳子眼肝精主筋筋之氣以

精之窠為眼　為眼果音顆　骨之精為瞳子　腎精主骨，骨之精氣，為目之瞳子　筋之精為黑眼　肝精主筋，筋之氣以為精之黑眼也　血之精為絡　心精主血，血之氣以為眼精赤絡　其窠氣之精為白眼　肺精主氣，氣之精為白眼　肌肉之精則為約束裹擷　脾精主肉，肉之氣之精以為眼之束約果擷　胡結反　筋骨血氣之精而與脈并為系，上屬於腦，後出於項中　四氣之精并脈合為目系，其系上屬於腦，後出項中　故邪中於項，因逢其身虛，其入深，則隨眼系以入於腦，入於腦則腦轉，腦轉則引目系，目系急則目眩以轉矣　後曰項，前曰頭，從目系入腦　邪中之……

入于腦，則腦轉，腦轉則引目系急，目系急則目

目眩以轉矣（後曰項，前曰額，以目系入腦，故腦轉則目系轉，目眩也）邪中其

精，所中不相比也，則精散，精散則視岐，故見

兩物（五精合而為眼，邪中其精，則五精不得比和，別有所見，故視岐見於兩物，如帶二月等也）目者

五藏六府之精也，營衛魂魄之所常營也，神

氣之所生也，故神勞則魂魄散，志意亂（之目有也，凡目三物，一為五藏六府精之所成，二為營衛魂魄血氣所營，三為神明氣之所生，是則以神為本，故神勞者魂魄志意亡，神俱亂）

是故瞳子黑眼法於陰，白眼赤脈（是以骨精瞳子筋精）

法於陽，故陰陽合傳而精明

意亡神俱亂是故瞳子黑眼法於陰白眼赤脈法於陽故陰陽合摶而精明也是以骨精瞳子筋精黑眼此二是肝腎之精故法於陰也氣白眼及血之赤眼此二是心肺兩精故法於陽也肺雖少陰猶在陽中故為陽也此之陰陽四精和合通傳於氣故曰精明也

目者心之使也心者神之舍也故神分精亂而不傳卒然見非常之處精神魂魄散不相得故曰惑心藏者心內形也心者神之用神者神之主也故神勞分散則五精亂不相傳卒見非常兩物者也以其精神亂為惑也

黃帝曰余疑其然余每之東菀未嘗不惑去之則復余唯獨為東菀勞神乎何其異也清冷之臺在

余每之東苑未嘗不惑去之則復余

唯獨為東苑勞神乎何其異也清冷之臺在東苑故每往

登臺則惑出臺則復於帝豈不為彼

東苑勞神遂致有惑是所可怪也岐伯曰不然

也心有所喜神有所惡卒然相感則精氣

亂視誤故惑神移乃復夫心者神用謂之情也

情之所喜謂之欲也故

情之起頗是神之所惡神之所好心之所惡是以養

神須去情頗亦去神安長生久視任心所作則

情欲百端情欲既甚則傷神害命斯二不可並行並

行相惑則情亂欲惑若得神移反本則惑解神復

是故間者為迷甚者為惑黃帝曰善間輕也甚

重也此為

[illegible]也甚

重也此為第一惑耶黃帝曰人之善忘者何氣使然岐伯

曰上氣不足下氣有餘腸胃實而心肺虛虛

則營衛留於下久不以時上故善忘矣心肺虛上氣不

足也腸胃實下氣有餘也營衛行留於腸胃不上心肺虛故喜忘復有上時又得不忘也此為弟二喜忘耶也

黃帝曰人之善飢而不嗜食者何氣使然

岐伯曰精氣并於脾熱氣留於胃胃熱則

消穀穀消故善飢胃氣逆上故胃管寒胃

管寒故不嗜食也精氣陰氣也胃之陰氣并在

消穀穀消故善飢胃氣逆上則胃[illegible]

管寒故不嗜食也精氣陰氣也胃之陰氣并在脾內則胃中獨熱故消食善飢胃氣獨熱逆上爲難所以胃咽寒冷故不能食也此爲第三不嗜食耶

黄帝曰病而不得臥出者何氣使然岐伯曰衛氣不得入於陰常留於陽留於陽則陽氣滿陽氣滿則陽蹻盛不得入於陰陰氣虚故目不得瞑矣衛氣晝行陽脉廿五周夜行五藏廿五周晝夜周身五十周若衛行陽脉不入藏陰則陽脉盛則陽蹻盛而不和陰蹻虚也二蹻並並於目故陽盛目不得瞑所以不瞑此爲第四不得臥耶瞑音眠

黄帝曰病而目不得視何氣使然岐伯曰衛氣留於陰不得行於[illegible]

所此為第四不得卧耶腹善眠　黃帝曰病而目不得視何氣使然岐伯曰衛氣留於陰不得行於陽留於陰則陰氣盛則陰蹻滿不得入於陽陽氣虛故目閉焉　衛氣留於五藏則陰蹻盛不和唯陰無陽所以目閉不得視也以陽主開陰主閉也此為第五不得視耶也　黃帝曰人之多卧者何氣使然岐伯曰此人腸胃大而皮膚濇而分肉不解焉腸胃大則衛氣留久皮膚濇則分肉不解其行遲夫衛氣者晝日常行於陽夜行於陰故陽氣盡則卧陰氣盡則寤故腸胃大則衛氣行

衛氣者晝日常行於陽夜行於陰故陽氣盡則臥陰氣盡則寤故腸胃大則衛氣行留久皮膚濇分肉不解則行遲留於陰也久其氣不精則欲瞑故多臥腸胃小皮膚滑以緩分肉解利衛氣之留於陽也久故少臥焉其人腸胃能大皮膚能濇大則衛氣停留濇則衛氣行遲留而行濇其氣不精故多臥也反之少臥此爲弟六多臥耶也

黃帝曰其非常經也卒然多臥者何氣使然岐伯曰耶氣留於上〻膲〻閉而不通已食若飲湯衛氣留久於陰而不行故卒然多臥耶

谷飲湯衛反留於陰而不行故卒然多卧耶氣留於上膲ミミ之氣不行或因飲食衛氣留於心腹故悶而多卧此爲第七耶也黄帝曰善

治此諸耶奈何岐伯曰先其府藏誅其小過

後調其氣盛者寫之虚者補之必先明知其

形氣之苦樂定乃取之療此七耶之法先取五藏六府諸募等藏府之上諸穴除其敌過然後調其藏府五輸六輸而補寫之補寫之補須明知形氣虛實苦樂之志然後取之

廿二耶

黄帝閑居避左右而問岐伯曰余以聞九針之經論陰陽逆順六經已畢願得口問岐伯避席再拜對曰善乎哉問也此先師之所口傳也閑居寡也避去也六經陰陽各有三陰三陽之脈也口傳者文傳得歷口傳得妙謂口訣其理也黄帝曰願聞口傳岐伯曰夫百病之始生也皆生於風雨寒暑陰陽喜怒飲食居處大驚卒恐風雨寒暑居處外邪也陰陽喜怒飲食驚恐内邪也血氣分離此内外邪生病所由凡有五别一令血之與氣不相[illegible]交二令藏府陰陽[illegible]

飲食驚恐内邪也[illegible]有五別一令血之与氣不相合也陰陽破散二令藏府陰陽分散也經絡決絶脈道不通三令經脈及諸絡脈不相通也陰陽相逆衛氣稽留四令陰陽之氣乖和衛氣不行經脈空虚血氣不決乃失其常五令諸經諸絡虚竭營血衛氣行無決常論不在經者請道其方如上所説論在經者余已知之有所生病不在經者請言其法也黄帝曰人之欠者何氣使然岐伯曰衛氣晝日行於陽夜則行於陰陰者主夜夜者主臥陽者主上陰者主下故陰氣積於下陽氣未盡陽引而上陰引而下陰陽相引[illegible]

者主上陰者主下故陰氣積於下
陽氣未盡陽引而上陰引而下陰陽相引故數
欠陽氣盡而陰氣盛則目瞑陰氣盡而陽氣
盛則寤矣陽氣主晝在上陰氣主夜在下陰氣盡陽氣盛則寤陽氣盡陰氣盛則瞑今陽氣未盡故引陰而上陰氣已起則引陽而下陰陽相引上下故數欠也寫足少陰補
足太陽寫於腎脈足少陰實補於膀胱脈足太陽虛令陰陽氣和故欠愈也有本作足太陰
黃帝曰人之噦者何氣使然岐伯曰穀入於胃
胃氣上注於肺今有故寒氣與新穀氣俱
還入於胃新故相亂真邪相攻

還入於胃，新故相亂，真邪相攻，并相逆，復於胃，故為噦。穀入胃已，清氣上注於肺，濁氣下留於胃。有故寒氣与新穀氣俱入於胃，新故真邪在於胃中，相攻相逆，復從胃出，故為之噦。補手太陰，寫足少陰。宜補肺脈手太陰，寫腎脈足少陰，以足少陰主寒，故須寫之；手太陰主氣，故先補之。黃帝曰：人之唏者，何氣使然？岐伯曰：此陰氣盛而陽氣虛，陰氣疾而陽氣徐，陰氣盛，陽氣絕，故為唏。大凡哀嘆也。陰氣盛而行疾，陽氣虛而行徐，是以陽氣絕為唏也。補足太陽，寫足少陰。以膀胱太陽氣絕，故須補之；腎藏少陰

陽氣絶為痛也肺是太陰腎是少陰氣絶故須補之腎藏少陰氣盛故須瀉之

黃帝曰人之振寒者何氣使然岐伯曰寒氣客於皮膚陰氣盛陽氣虛故振寒寒慄補諸陽

以陽虛陰盛陽虛故皮膚虛陰盛故寒客皮膚故振寒寒慄宜補三陽之脉

黃帝曰人之噫者何氣使然岐伯曰寒氣客於胃厥逆從下上散復出於胃故為噫

寒氣先客於胃厥而逆上消散復從胃中出故為噫

補足太陰陽明一曰補眉本

脾胃府藏消虛故補斯二脉眉本是眉端攢竹穴足太陽脉氣所發也

黃帝

[illegible]眉本　眉端攢竹穴足太陽脈氣所發也　黄帝曰：人之嚏者何氣使然？岐伯曰：陽氣和利，滿於心，出於鼻，故為嚏。陽之和氣利滿於心中，上衝出於鼻，故為嚏也。補足太陽榮眉本，一曰眉上。陽虛而利，故補陽脈。太陽起鼻上兩箱，發於攢竹。太陽榮在通谷，足指外側本節前陷中。黄帝曰：人之嚲者何氣使然？岐伯曰：胃不實則諸脈虛，諸脈虛則筋肉懈惰，筋肉懈惰行陰用力，氣不能復，故為嚲。胃氣不實，穀氣少也。穀氣既少，脈及筋肉並虛懈惰，因此行陰。行陰，入房也。此又入房用力，氣不得復，四支緩縱，故名為嚲。嚲々去于叉韋刺也。鑽身體補分肉間。筋脈皆虛，故取痛

虛也此又入虛用力氣不得復四支緩縱故名爲惲々云于更牽引也皆身體懈惰牽引不收也補分肉間筋脈皆虛故取病所在分肉間補之

黃帝曰人之哀而涕泣出者何氣使然涕泣多目无所見何氣使然也岐伯曰心者五藏六府之主也涕泣出之所以有三心者神用藏府之主一也目者宗脈之所聚上液之道也手足六陽及手少陰足厥陰等諸脈湊目故曰宗脈所聚大小便爲下液之道涕泣以爲上液之道二也口鼻者氣之門戶也目者液是液之道也口鼻二竅氣液之道三也故悲哀愁憂則心々動々則五藏六府皆搖々則宗脈感々々則液道開々々故涕泣出焉

宗脉感宗脈感則液道開液道開故涕泣出焉有物相感逆所心動以其心動所心感及餘四藏并府赤皆搖動藏府既動藏府之脉皆動藏府宗脉搖動則目鼻液道並開以液道開故涕泣出也液者所以灌精而濡空竅者也故上液之道開泣出不止則液竭竭則精不灌精不灌則目無所見矣故命曰奪精五穀液以灌目之五脉之精因於七竅今但從目鼻而出不止則竭也諸精不得其液則目眼無精故曰无所見以奪精也補天柱經侠項天柱在足太陽也天柱侠項後髮際大筋外廉陷中足太陽脉氣所發故補之黃

補[illegible]補[illegible][illegible][illegible]節外應胸中是太陽脈氣所發故補之也

帝曰人之太息者何氣使然岐伯曰憂思則心

系急心系急則氣道約氣道約則不利故太息

以中出憂思勞神故心系急心系連肺其肺上迫肺〻系〻爲喉道氣之道既其被迫故氣道約不得通之故大息取氣以申出之補手少陰心主足少陽留之手少陰手心主二經皆是心經足少陽膽經以心係急則其所膽故二陰一陽並須留針以緩黃帝曰人之涎

下者何氣使然岐伯曰飲食者皆入於胃〻中

有熱〻則蟲〻動〻則胃〻緩〻則廉泉開故涎

下蟲苦蚘蟲在於胃中也廉泉舌下孔通涎道也人神守

下熱若救熱在於胃中也。廉泉舌下孔，通涎道也。人神守則其道不開，若為好味所感，神者失守，則其孔開涎涎出也。亦曰胃熱蟲動，故廉泉開涎自出也。補足少陰腎足少陰脉上使舌，本主於津液，令虛故涎下是也。

黃帝曰：人之耳中鳴者，何氣使然？岐伯曰：耳者宗脉之所聚也，故胃中空則宗脉虛，虛則下溜，脉有所竭者，故耳鳴。人耳有手足少陽、太陽及手陽明等五絡脉皆入耳中，故曰宗脉所聚也。溜脉入耳之脉溜行之者也，有竭不通虛，故耳鳴也。補客主人、手太指爪甲上與肉交者。手陽明入耳過客主人也。手太指爪甲上，手太陰脉是。手陽明之衰，以陰陽皆虛。

黃帝曰：人之自齧舌者何

指爪甲上與肉交者太指爪甲上手太陰脈，是手陽明之裏。此陰陽皆虛，所以耳鳴，故並補之。黃帝曰：人之自齧舌者，何氣使然？岐伯曰：此厥逆走上，脈氣輩至也。輩，類也。厥逆之氣上走於頭，故上頭類脈所至之處，所自齧舌也。少陰氣至則齧舌，少陽氣至則齧頰，陽明氣至則齧脣矣。視主病者則補之。腎足少陰脈厥逆至於舌下，則便齧舌。手足小陽脈厥逆行至於頰，所便齧頰。手足陽明厥逆行至於脣，即便齧脣。此輩諸脈，以虛厥逆，故視其所病之脈補也。凡此十二邪者，皆奇邪之走空竅者也。故邪之所在，皆為之不足。此十二邪皆令人虛，故曰奇邪。空竅謂是輸竅者也。又此十二邪皆令人應，故曰奇邪。空竅謂是輸竅者也。此之邪氣所至之處，損於正氣，故令人不足為病也。故上氣不足，腦為之不滿，耳為之善鳴，頭為之傾，目為之瞑。頭為上也。邪氣至頭，耳鳴頭傾，不能正目，暗者也。中氣不足，溲便為之變，腸為之善鳴。腸及膀胱為中也。邪至於中，則大小便色皆變於常，及腸鳴也。下氣不足，則為痿厥足悶，補足外踝下留之。邪氣至足，則足痿厥，悗，緩其足，又悶，可補之外踝之下。一本刺足大指間上二寸留之。黄帝曰：治之奈何？岐伯：腎主為欠，取足少陰；肺主為噦，取手太陰足少陰。[illegible]皆陰與陽也。文有三本。

取手太陰足少陰唏者陰与陽絶故補足太陽寫足少陰振寒補諸陽噫補足太陰陽明嚔補足太陽眉本撣因其所在補分肉間泣出補天柱經俠頸頸者頭中分也太息補手少陰心主足少陽留之涎下補足少陰耳鳴補客主人手太指爪甲上与肉交者自齧頬視主病者則補之目瞋頭傾補足外踝下留之痿厥

大□神之□脈下前足大趾之□之□

是謂刺足大指間上二寸留之一曰足外踝下留之以下案刺瘵古与陽者陰盛不絶不可寫不得言与可爲盛也頭中小若取案脈所刺頭中之分擽瘵厥同爲一病名字有異此文惜之也

耶客

黄帝問岐伯曰余聞善言天者必有驗於人人之善言天者是人必法天以言人故有驗於人也善言古者必有合於今以今之事古爲今法故必合於今善言人者必厭於己善言知人必先足於己乃得知人不足於己而曰知則道□□□□交逕行

八十一□安也□□日也

法，故必合於今 善言人者必厭於己 先足於己，乃得知人，不足於己而欲知人，未之有也 如此則道不惑而要數極，所謂明矣 如此人，有三善之行，於道不惑，所以然者，得其要理之極，明達故也。數，理也 今余問於夫子，令可驗於己，令之可言而知也，視而可見，捫而可得，令驗於己，如發蒙解惑，可得聞乎 先自行之，所可驗於己也。然後問其病之所由，故為言而知之也。察色而知，故為視而知之也。診脈而知，故為捫而可得，斯為知者先驗於身，故然為人發蒙於耳目，解惑於心府，如此之道可聞以不 岐伯再拜曰：帝何道之問？黃帝曰：願

聞

問以不[illegible]

聞人之五藏卒痛何氣使然岐伯曰經脈流

行不止環周不休寒氣入焉經血稽遲泣而

不行客於脈外則血少客於脈中則氣不通

故卒痛矣黃帝曰其痛也或卒然而止者或常

痛甚不休者或痛甚不可按者或按之而痛

止者或按之而無益者或喘動應手者或心与背相應而痛者或脇肋与少腹相引而痛

者或腹痛引陰股者或痛宿昔而成積者或卒

然痛死不知人有間復生者或腹痛而悗〻歐

者或腹痛而後泄者或痛而閉不通者　服外焉

絶痛，方不知人，有間復生者，或痛而嘔者，或腹痛而復泄者，或痛而閉不通者股外為髀，髀內為股，陰下之股為陰股也。悅者咽也。凡此諸痛，各不同形，別之奈何？凡此十四列病，十三寒客內為病，一種熱氣客內為閉，皆為痛病，不知所由，故須問之。岐伯對曰：寒氣客於腸外則腸寒，寒則縮卷，卷則腸絀急，絀急則外引小絡，故卒然痛，得炅則痛立已矣。因重中於寒，則痛久矣。絀，猪律反，縫也。謂腸寒卷縮，如縫連也。腸絀屬腸經之小絡，散絡於腸，故腸寒屈急引絡而痛，得熱則立已。炅，熱也。寒氣客經絡之中，而炅氣相薄則脈滿，滿則痛而不可按

急引脉而痛得熱則立已炅熱也因重中於寒
中与炅氣相薄則脉滿〻則痛而不可按
也寒氣稽留炅氣從上則脉充大而血氣
乱故痛不可按也痛不可按之而義解之一寒熱薄於脉中滿痛不可得按二寒下留熱氣上行令脉血氣相亂故不可按也寒氣客於腸胃之間募原
之下而不得散小絡急引故痛按之則氣散
故痛止矣腸胃皆有募有原募原之下皆有孫絡寒客腸胃募原之下孫絡引急而痛故按之散而痛止寒氣客於侠脊之脉則深按之不能
及故按之无益也侠脊脉督脉也督脉侠脊故曰侠脊脉

痛心 寒氣客於俠脊之脈則深按之不能及故按之无益 俠脊脈督脈也督脈俠脊故曰俠脊脈也背脈俠於脊裏而上行深故按之不及所以按之无益者也 寒氣客於衝〻脈〻起於關元隨腹直上則脈不通不通則氣因之故喘動應手矣 關元在臍下小腹下當於胞故經言衝脈起於胞中直上寒氣客之故喘動應手有本无起於關元下十字也 寒氣客於背俞之脈則脈泣〻〻則血虛〻〻則痛其俞注於心故相引而痛按之則熱氣至〻則痛心矣 背俞之脈足太陽脈也太陽心俞之絡〻注於心中故寒客太陽引心而痛按之不移其手

則痛心[illegible]之絡注於心中故寒客太陽引心而

痛按之不移其手則手熱故痛止寒氣客於厥陰厥陰之脉者絡

陰器繫於肝寒氣客於脉中則血泣脉急引

脅与少腹矣厥陰肝脉屬肝絡膽布脅肋故寒客血泣脉急引脅与少腹痛也

厥氣客於陰股寒氣上及少腹血泣在下

相引故痛厥氣客在陰股陰股之血脉泣故甚氣上引少腹而痛也寒氣客

於五藏厥逆上泄陰氣竭陽氣未入故卒然

痛死不知人氣復反則生矣寒氣入五藏中厥逆上泄令陰氣竭

絶陽氣未入之間卒痛不

氣客於腸胃之

痛死不知人氣復反則生矣 上出逆令陰氣竭絶陽氣未入之間卒痛不知人陽氣入藏還生也

寒氣客於腸募關元之間絡血之中血泣不得注於大經血氣稽留不得行故卒然成積矣 腸謂大腸少腸也大腸募在天樞齊左右各二寸原在手大指之間小腸募在齊下三寸關元原在手外側腕骨之前充胃寒氣客此募原之下血絡之中澁泣不行久留不成於積也

寒氣客於腸胃厥逆上出故痛而歐矣 寒客腸胃其氣逆上故痛歐吐也

寒氣客於小腸不得成聚故後泄腹痛矣 寒客小腸不得成於積聚故後利腹痛也

熱氣留於小腸腸中痛癉熱焦渴則堅乾不得 熱氣

故[illegible]泄[illegible][illegible]多積聚故後利腹痛也熱[illegible][illegible][illegible]

膓小膓中癉熱燋渴則故堅乾不得出矣熱氣留止

小膓之中則小膓中熱糟粕燋渴乾堅故大便閉不通矣黃帝曰所謂言而可

知者也視而可見柰何岐伯曰五藏六府固盡

有部視其五色黃赤為熱白為寒青黑為痛

此所謂視可見者也五藏六府各有色部其部之中色見視之即知藏府之病此則視而可見者也

黃帝曰聞而可得柰何岐伯曰視其主

病之脈堅而血及陷下者可聞而得也視脈及皮

之狀問其所由[illegible]

治之[illegible]者下[illegible]也　及皮

之狀問其所由故爲開而得也　黃帝曰善

邪中

黃帝問歧伯曰邪氣之中人也奈何歧伯曰

邪氣之中人也高黃帝曰高下有度乎歧

伯曰身半已上者邪中之也身半以下者濕

中之也　高者上也身半以上風雨之邪所中故曰中於高也風爲百病之長故偏得邪名也身半以下清濕之邪濕寂沉重故襲下偏言也　故曰邪之中人也无有恒常中于

陰則[illegible]　邪中於臂䏲之陰

重故襲下備言也古曰耶之中人也无有恒常中于

陰則留于府，中于陽則留于經。耶中於臂胻之陰，循陽陰經流入中藏々，實不受耶，客故轉至留於六府者也。中於頭面之陽，循三陽經下留陽經，故曰无常也。黃帝曰：陰之與陽也，異名同類，上下相會。陰陽異名，同為氣類；三陽為表居上，三陰為裏在下，表裏氣通，故曰相會。經脈之相貫，如環無端。三陽之經脈脈別走入於三陽，三陽之經脈脈別走入於三陰，々陽之氣旋迴周而復始，故曰無端。耶之中人也，或中於陰，或中於陽，上下左右，无有恒常，其故何也？經脈相貫周環，自是常理，耶之中人循行之處，與經脈同行，然中於陰陽上下左右生病異

者，其故

其古何也 与經脉同行，然中於陰陽上下左右生病異者，其故何也

岐伯荅曰：諸陽之會皆在于面，人之方乘虚時及新用力若熱飲食汗出，腠理開而中于邪

手足三陽之會，皆在於面，人之受邪所由有三：一為乘年虚時，二新用力有勞，三為熱飲熱食汗出，腠理開，有此三虚，故邪中人

中面則下陽明，中項則下大陽，中于頰則下少陽，其中于膺背兩脅亦中其經

邪之惣，中於面，則著手足陽明之經，循之而下，若中頭後項者，則著手足大陽之經，循之而下，若別中於兩頰，則著手足少陽之經，循之而下，若中胷背及兩脅三處，亦著三陽之經，循經而下也

黃帝曰：其中

兩臂三處亦者三陽之經，循注而下也。黄帝曰：其中于陰奈何？岐伯荅曰：中于陰者，常從臂胻始。夫臂與胻，其陰皮薄，其肉淖澤，故俱受于風，獨傷其陰。以下言邪中於陰經也。四支手臂及脚胻當陰經上皮薄，其肉淖澤，故四處俱受風邪，所以獨傷陰經。下經言風雨傷上，清濕傷下者，舉多為言。以資脚胻亦受風邪也。黄帝曰：此故傷其藏乎？岐伯曰：身之中于風也，不必動藏。故邪入于陰經，其藏氣實，邪氣入而不能容，故還之于府。是故陽中則溜于經，陰中則溜于府。邪之傷於陰經，傳還至藏，以藏氣不容外邪，故還流於六府之中也。故陽之邪中於面流

陽中則溜於經陰中則溜於府 五藏以藏氣不客外邪故還流於六府之中也故陽之邪中於面流於三陽之經陰之邪中於臂胻循於六府也

黄帝曰邪之中藏者奈何 前言外邪不中五藏次言邪從內起中於五藏故問起也

岐伯曰愁憂恐懼則傷心 愁憂恐懼內起傷神故心藏傷也

形寒寒飲則傷肺以其兩寒相感中外皆傷故氣逆而上行 形寒寒飲寒內外二寒傷肺以肺惡寒也

有所墮墜惡血留內若有所大怒氣上而不下積于脅下則傷肝 曰墮惡血留著外傷也大怒內傷也內外三傷積於脅下傷肝也

有所擊仆若醉入房汗出當風則傷脾 擊仆當風外損也醉以入房汗

積於脅下傷肝也。有所擊仆，若醉入房，汗出當風則傷脾。〔擊仆當風，外損也；醉以入房汗出，內損也。內外二損，故傷脾也。〕有所用力舉重，若入房過度，汗出浴水則傷腎。〔用力舉重，汗出以浴水，外損也；入房過度，內損也。由此二損，故傷腎也。〕黄帝曰：五藏之中風奈何？岐伯曰：陰陽俱感，邪乃得往。黄帝曰：善。〔前言五藏有傷，次言五藏中風。陰陽血氣皆虛，故俱感於風，故邪得往入也。〕黄帝問岐伯曰：首面與身形屬骨連筋，同血合氣耳。天寒則裂地淩水，其卒寒或手足懈墮，然其面不衣，其故何也？〔首面及與身形，兩者皆屬於骨，俱連於筋，同受於血，並合於氣，何因遇寒，〕[illegible]曰[illegible]一

[illegible]手足惰[illegible]然其面不衣其故何也 頭面者皆屬於骨俱連於筋同受於血並合於氣何因遇寒手足冷而懈惰首面无衣不寒其故何也 岐伯曰十二經脈三百六十五絡其血氣皆上於面而走空竅 六陽之經並上於面六陰之經有足厥陰經上面餘二至於舌下不上於面而言皆上面者舉多為言耳其經絡血氣者通故皆上走七竅以為用也 其精陽氣上於目而為精 其經絡精陽之氣上走為目成於眼精也 其別氣走於耳而為聽 別精陽氣入耳以為能聽 其宗氣上出於鼻而為臭 五藏聚氣以為宗〻氣〻入鼻能為知臭也 其濁氣出於胃走脣舌而為味 耳目視聽故為清氣所生脣舌識[illegible]

鼻為知臭也

視聽，故為清氣所生；脣舌識味，故為濁氣所成，味者知味也。其氣之津液皆上熏於面，面皮又厚，其肉堅，故熱甚寒不能勝也。以其十二經脈三百六十五絡血氣皆上熏面，以其陽多，其皮堅厚，故熱而能寒也。

邪傳

黃帝問岐伯曰：夫百病之始生也，皆生於風雨寒暑清濕喜怒。濕，謂地濕，雨從上下，其性雖同，生病有異；寒生於外，清發於內，性是一物，起有內外，所病之有不同。喜者陽也，怒者陰也，此病之起也。喜怒不節則傷藏，心生於喜，肝生於怒，二者起之過分，所傷

陽也怒者陰也此病之起也喜怒不節則傷於喜

腑生於怒二者起之過分所傷神神所內傷五藏則中內內之藏風雨則傷上清濕則傷下三部之氣所傷異類願聞其會風雨從頭背而下故為上部之氣清濕從足胻而上故為下部之氣所傷之類不同望請會通之也岐伯對曰三部之氣各不同或起於陰或起於陽請言其方或起於陰謂臂胻及足或起於陽謂面与頭膺背及胸請具申之也喜怒不節則傷於藏藏傷則病起於陰陰謂內也清濕襲虛則病起於下風雨襲虛則病起於上是陽奇於陰之

虛邪清濕襲之故曰病起於下也人之面項陰三部

虛即清濕襲之，故曰病起於下也。人之面項陰并於陽氣，虛即風雨襲之，故曰病在於上也。是謂三部。至其淫泆，不可勝數。是謂三部之氣生病不同，更隨所因，變而生病，淫衍過多，不可量度也。黃帝問曰：余固不能數，故問於天師，願卒聞其道。諸邪相傳，變化為病，余知不可數量，天師所知，固應窮其至數，余請卒聞其道。天師尊之号也。岐伯對曰：風雨寒熱，不得虛邪，不能獨傷人。卒然逢疾風暴雨而不病者，亦无虛邪，不能獨傷人。必因虛邪之風，与其

[illegible] 虛邪即風，從虛鄉來

身形。兩虛相得。乃客其形。虛邪即風。從虛鄉來。故曰虛邪。風雨寒熱四時正氣也。四時正氣不得虛邪之氣。亦不能傷人。卒風暴雨雖非正氣。不得虛邪之氣。亦不能傷人。獨有虛邪之氣。亦不能傷人。必因虛邪之風及身形虛相感。故得邪客於形。兩實相逢。衆人肉堅。其中於虛邪也。因於天時與其躬身。參以虛實。大病乃成。風雨寒暑四時正氣。為實風也。衆人肉堅為實形也。兩實相逢。无邪客病也。故虛邪中人。必因天時虛風。并身形虛。合以虛實也。參。合也。虛者形虛也。實者邪氣盛實也。兩者相合。故大病成也。氣有定舍。

邪氣舍定之處。即因處以施病名。如。邪。

盛實也兩者相合故大病成也

氣有定舍

因處爲名邪氣舍定之處即因處以施病名如邪舍形頭即爲頭眩等頭病也若舍於腹即爲腹痛泄利等病也若舍於足則爲足悗不仁之病也上下中外分爲三員上謂頭面也下謂尻足也中謂腹三部各有其外也員正也三部各有分別故名三員也是故

虛邪之中人也始於皮膚皮膚緩則腠理開從毛髮入入則抵深深則毛髮立淅然皮膚痛皮膚緩者皮膚爲邪所中無力不能收故緩也人毛髮中虛故邪從虛中入也抵文也邪氣遂入久深腠理之時振寒也留而不去則傳舍於絡脈在絡脈之時痛

於肌肉其痛之時息大經乃代去散邪也孫絡大

寒也留而不去傳舍於胳脈在胳脈之時痛於肌肉其痛之時大經乃代去衛邪也孫胳大胳皆衛胳脈也十二經脈行皆代息以大經在肌內中今肌肉痛故大經代息也留而不去傳舍於經在經之時洒淅善驚經脈連於五藏五藏爲邪氣所動故其善驚々即洒淅振寒也淅音許也留而不去傳舍於輸在輸之時六經不通四支節痛腰脊乃強輸謂五藏輸五藏輸六府輸六輸六經謂三陰三陽也輸在四支故四支痛也足太陽及督脈在腰脊邪氣循之故急強也留而不去傳舍於伏衝在伏衝之時體重身痛衝脈爲經胳之海故邪居體重留而不去傳舍於腸胃舍於腸胃之時賁響腹

徑在伏衝之時[illegible]海故邪居體重[illegible]

不去傳舍於腸胃舍於腸胃之時賁嚮腹脹多寒則腸鳴飧泄食不化多熱則溏出糜 賁膈 虚起之、多寒則邪為飧泄多熱則邪為溏糜、、黄和糜也 留而不去傳舍於腸胃之外募原之間 腸胃之府外有募原邪傳腸胃之外舍至募原之間也 留著於脈稽而不去息而成積 脈謂經脈及絡脈也謂邪著於經絡之脈傳入腸胃之間長息成於積痛此句是惣也 或著孫絡或著絡脈或著經脈或著輸脈或著於伏衝之脈或著於膂筋或

著於腸胃之募原上連於緩筋邪氣淫泆[illegible]

又著輸脈又著於伏衝之脈又著於膂筋又

著於腸胃之募原上連於緩筋邪氣淫泆不

可勝論 以下言邪著成積略言七處變化滋章不可復論也輸脈著足太陽脈以管五藏六府之輸故曰輸脈膂筋謂腸後脊膂之筋也緩筋謂足陽明筋以陽明之氣主緩

黃帝曰願盡聞

其所由然 願盡聞著願盡聞於成積所由 岐伯曰其著孫絡之脈

而成積者其積往來上下臂手孫絡之居

也浮而緩不能句積而止之故往來移行腸間

之水湊滲注灌濯濯有音 居著也邪氣著於臂手孫絡隨絡往來上下其孫絡

浮緩不能句止積氣臂手之絡行在腸間故邪隨

[illegible]胳隨胳往來上下其孫胳

浮緩不能句止積氣臂手之胳行在腸間故邪隨胳脈往來令腸間之水湊漆有聲也濯濯水聲也有寒則腹䐜滿雷引，故時切痛。邪循於胳在腸間時有寒則孫脈䐜滿引腸而作雷聲時有切痛

其著於陽明之經，則俠臍而居，飽食則益大，飢則益小。胃脈足陽明之經直者下乳內廉下俠臍入氣街中故邪氣著之飽食則其脈㾓大飢小穀氣則脈細小令人稱此病而弦也

其著於緩筋也，似陽明之積，飽食則痛，飢則安。緩筋足陽明之筋也邪客緩筋是足陽明筋從下上腹俠臍而布似足陽明經脈之積飽則大而痛飢小而安亦邪俠筋之大小也

其著於腸胃之募原也，痛而外連於緩筋也，飽食則安，飢則痛。募

小而安之耶俠衝之大小也[illegible]

也痛而外連於緩筋飽食則安飢則痛 暮謂腸胃府之暮也原謂腸胃府之原也暮原之氣外來連之陽明筋故耶侯能安飢痛也 其著於伏衝之脉者揣揣應手而動發手則熱氣下於兩股如湯沃之伏 衝脉下者注少陰之大胳出於氣衝循陰股內廉入膕中伏行骭骨內下至內踝之屬而別下者伏行出跗屬下循跗入大指間以其伏行故曰伏衝揣揣動也以手按之應手而動發手則熱氣下於兩股如湯沃耶之盛也 其著於膂筋在腸後者飢則積見飽則積不見按之弗得 膂筋之少陰筋循脊內俠膂在小腸後附脊曰飢則見

六飲食[illegible]陰鬲俠脊

內俠脊，在小腸後，附脊曰。飢則見，按之可得；飽則不見，按之難得也。

其著於輸之脈者，輸脈，足太陽脈也，以管諸輸，絡腎屬膀胱，故邪著之，津液不通，大便乾壅，不得下於大小便之竅也。閉塞不通，津液不下，空竅乾壅。此邪氣之從外入內，從上下者。結邪行處也。

黃帝曰：積之始生，至其已成奈何？岐伯曰：積之始生，得寒乃生，厥上乃成積也。夫寒者陽邪，積者陰邪也。此言病成，若言從生，陰陽生也。故積之始生邪，得寒氣入舍於足，以為積始也，故曰得寒乃生也。寒厥邪氣上行，入於腸胃，以成於積也。

黃帝曰：成積奈何？岐伯曰：厥氣生足悗，悗生脛寒

生也寒厥邪氣上行入於腸胃以後於積也　黃帝曰其
積奈何岐伯曰厥氣生足〻悗〻生脛〻寒〻
則血脉凝泣寒氣上入腸胃三於腸胃則䐜脹
䐜脹則腸外之汁沫迫聚不散日以成積　以上言成
積所由三邪外邪厥逆之氣客之則陽脉虛故脛寒脛脉皮
薄故血寒而凝泣凝濇也寒血備於膝脉上行入於腸胃寒血
入於腸胃則腸胃之內䐜脹腸胃之外發汁沫
聚不得消散故漸成積也此為生積所由一也　卒然盛
食多飲則脉滿起居不節用力過度則絡脉傷
陽絡傷則血外溢外溢則衄血陰絡傷則血
[illegible]

陽脉傷則血外溢外溢則衄血陰脉傷則血

内溢内溢則便血腸外之絡傷則血溢於腸外腸

外有寒汁沫與血相薄則并合凝聚不得散積

成矣盛飲多食无節逆令脉滿起居用力過度内絡脉傷若傷腸内陽絡則便衄血若傷腸内陰絡溢則便血若傷腸外之絡則血与寒汁凝聚為積此為主積所由二也卒然外中於寒若内

傷於憂怒則氣上逆氣上逆則六輸不通溫氣

不行凝血藴裹而不散津液澁滲著而不去

而積皆成矣人之卒然外中於寒以入於内内傷憂怒以應於外内外相搏厥氣逆上陰氣

既盛逆令六府陽經六輸皆不得通衛氣不

[illegible]怒以應於外内外相搏厥氣逆上陰氣
既盛遂令六府陽經六榮皆不得通衛氣不
行寒血凝泣蘊畜不散著而成積所由三也黃帝曰其
生於陰者奈何岐伯曰憂思傷心前言積成於陽以下言積成於陰憂思
皆神故傷心也重寒傷肺飲食外寒形冷内寒故曰重寒肺以惡寒故重寒傷肺忿怨
傷肝肝主於怒故多怒傷肝也醉以入房汗出當風則傷脾
因醉入房汗出當風則脾汗濕風故傷脾也用力過度若入房汗出浴水
則傷腎腎与命门主於入房故用力及入房汗出浴水故傷於腎也此外内三部之
所生病者也黃帝曰善憂思為内重寒為外入房當風以為内外故合而三部
所生[illegible]

[illegible]當風以為内外故合而三[illegible]

所主病治之奈何？岐伯曰：察其所痛，以知其應，有餘不足，當補則補，當寫則寫，毋逆天時，是謂至治。凡積之病，皆有痛也。故審其痛，以候其積，既得其病，順於四時，以行補寫，可得其妙也。

五邪入：邪入於陽則為狂，邪入於陰則為血痺，邪入於陽，摶則為癲疾，邪入於陰，摶則為瘖，陽入之於陰病靜，陰出之於陽病喜怒。熱氣入於陽脉，重陽，故為狂病；寒邪入於陰脉，重陰，故為血痺；陽邪入於陽脉，聚為癲疾；陽邪入於陰脉，聚為瘖不能言；陽邪入陰者，則為病好靜；陰邪出之於陽，陽動，故[illegible]

陰厥脈爲瘖不能言陽邪入陰者則爲瘖好靜陰邪出之於陽〻動故多生喜怒也五藏陰病發於骨陽病發於血以味病發於氣陽病發於冬陰病發於夏陰之爲病發骨疼等陽之爲病發於血痺等五味爲病發於氣不調等冬陽在内故病發冬夏陽在外故病發夏也

黄帝内經太素卷第廿七 邪論

仁安三年八月十七日以同本書之

以同本移點校合了　丹波頼基

本云

保元元年五月十一日以家本移點校合了

本云
保元弐年五月十日以家本移點校合了
憲基

黄帝内經太素卷第廿八

諸風數類

諸風狀論

諸風雜論

三虛三實

三虚三實

八正風候

痺論

諸風數類

黄帝問於岐伯曰風之傷人或為寒熱或為熱

中或為寒中或為癘[illegible]或為[illegible]

也其病各異其名不同 風氣一也隨經為氣

感風氣故生甚為病也因風氣為病是以風為百病之

長故傷人也有感來感傷人故病凡有[illegible]一日寒熱

二日熱中三日寒中四日癘病五日偏枯[illegible]故以為

長，故傷人也。有感未感，傷人爲病。凡有五種：一曰寒熱，二曰熱中，三曰寒中，四曰癘病，五曰偏枯，此之五者，以爲風作。或傷病形殊，名各不同，或爲諸風者，但風之變病所同，不同故頗[illegible]或內至五藏六府，不知其解，若病形狀各異也。

願聞其說。岐伯曰：風氣藏於皮膚閒，內不得通，外不得泄。風者善行而數變，言風不於藏府之內爲病，既名藏府之風，風氣藏於皮膚閒內，不得通生大小便道，外不得腠理中泄，風性好動，故善行數變以爲病。腠理開則洒然寒，閉則熱而悶。風氣之邪洒之之也。

寒者衰目[illegible]或肉[illegible]食或復用力，腠理開，衰風入也。腠而熱而寒，腠理閉[illegible]內[illegible]悶[illegible]

[illegible]而寒腠理開[illegible]内[illegible]而寒[illegible]

其寒也則衰食飲其熱也則銷肌肉故使人

怢慄而不能食名曰寒熱其寒不洩在内故不能食其熱在外故銷肌肉也是以使人悪風而不能食釋曰寒熱之病怢慄振寒皃也

風氣與陽明入胃循

脈而上至目内眥其人肥則風氣不得外洩

則為熱中而目黃也以下言熱中病也風氣從[illegible]陽明之脈入[illegible]足陽明經從目内眥入屬於胃々入循其脈上目内眥也其人肥腠理密實閉風氣壅而不得外洩故内為熱中病目黃也

人瘦則外洩而寒則為寒中而泣出

以下言寒中之病也人瘦則腠理踈虚外[illegible]氣[illegible]

也人瘦則外泄而寒則為寒中而泣出

以下言寒中之病也人瘦則腠理疏虛外泄溫氣風氣故風氣內以為寒中是陽明脈寒令故目泣出也

風與太陽俱入行諸脈輸散於分肉間衛氣淫邪與衛氣相干其道不利故使肌肉憤䐜而有瘍衛氣有所淫而不行故其肉有不仁

以下言癘病也其癘風與足太陽二氣俱入十二經脈輸穴之中又散於分肉腠理之間其與太陽俱入於輸者上來者淫邪之氣與衛氣相干致令衛氣[illegible]而不行故肌肉憤䐜[illegible]有小瘍也以衛氣淫聚不行故肉不仁也淫義當凝也

癘者有營

衛氣凝聚不行故肉不仁也凝義當凝也癘者營

氣熱胕其氣不精故使其鼻柱壞而色

敗也皮膚瘍潰風寒客於脈而不去名曰

癘風胕腐也太陽與衛氣在營血之中故渴而熱於胃腹上衝於鼻故鼻熱骨壞其氣於

於皮膚故皮膚潰爛以其邪風寒氣客脈留而去為疾癘也癘力搭反也

曰寒熱言所癘風或名寒熱之病也以春甲乙傷於風者

為肝風以夏丙丁傷於風者為心風以

季夏戊己傷於邪者為脾風以秋庚

季夏戊己傷於邪者為脾風以秋庚

辛中於邪者為肺風以冬壬癸中於

邪者為腎風春甲乙者木王時也木王盛時衛上亦冬壬曰邪風木盛近衛

故衛上邪氣來傷於肝故曰肝風餘四藏此也風氣入五藏六府

輸亦為藏府之風藏府輸者當[illegible]氣近傷藏府之輸故曰[illegible]藏府之風

之也各入其門戶之中則為偏風所戶空穴也邪氣所

中之處即偏為病故名偏風也風氣循風府而上則為腦

風府在項入髮際一寸也既腦戶之會近大陽入腦出處風邪循脈入腦故名腦病也風入系

頭則為目風邪氣入於目系亦[illegible]

陽入腦出屬藏府循脈入腦故名腦病也　風入系

頭則為目風　邪氣入於目系在頭故為目風也　眼寒飲酒中

風則為漏風　因飲酒寒温腠開中風漏汗皆漏氣有本風眼寒也　入房

汗出中風則為内風　入房用力汗出中風内傷故曰内風也　新

沐中風則為首風　新沐髮已頭上垢落腠開得風故曰首風之也　久

風入中則為腸風飧泄　皮膚受風日久傳入腸胃之中成所出曰腸風

外在腠理則為泄風　邪在腠理之中汗泄不止故曰泄風也　故

風者百病之長也至其變化為他病也

無常方然故有風氣也　百病因風而生故為長

風者百病之長也至其變化乃爲他病也無常方然故有風氣（百病因風而生故爲長也以因於風變爲萬病非唯一途故風氣以爲病長也）

諸風狀論

黃帝問於岐伯曰願聞其診及其病能（診者既見其狀因知所由故曰診也其病能者言狀也謂風氣爲病能之也）岐伯曰肺風之狀多汗惡風色皏然白時欬短氣晝日則差暮則甚診在眉上其色白

[illegible]則差，暮則甚，診在眉上，其[illegible]

肉[illegible]也。肺[illegible]狀[illegible]有[illegible]：一曰多汗，二曰惡風，三曰色白，謂面色白薄也；四曰欬，欬五曰短氣，六曰晝間[illegible]暮甚，以肺主大陰之[illegible]暮[illegible]也。[illegible]下五色各見其部，薄澤者，五藏氣之候也。白，肺色之也。

心風之狀，多汗惡風，焦絶善怒赫，赤[illegible]。

[illegible]則不可[illegible]，診在口，其色赤。

心風狀有[illegible]：一曰多汗，二曰惡風，三曰焦絶，[illegible]焦[illegible]，[illegible]不通也，[illegible]不通也；四曰善怒，五曰[illegible]，六曰[illegible]，[illegible]不安[illegible]下[illegible]部色見口，為心部之也。

肝風之狀，多汗惡風，善悲，色微蒼，嗌乾善怒，時憎女子，診在目下，其色[illegible]

肝風狀有八：一曰多汗，二曰惡風，三曰[illegible]悲，四曰

至嗌乾善怒時憎女子診在目下其色

青肝風狀能有八一曰多汗二曰惡風三曰善悲四曰色微青五曰嗌乾六曰善怒七曰時憎女子八

曰所診色見之也脾風之狀多汗惡風身體怠墯四

支不欲動色薄微黃不嗜食診在鼻

上其色黃脾風狀能有七一曰多汗二曰惡風三曰身體怠墯謂除頭四支為身體也四曰四

支不用五曰色薄微黃六曰不味於食七曰所診色見也腎風之狀多汗惡風

痝莫江反

面痝然胕腫腰脊痛不能正立其色炲隱

曲不利診在頤上其色黑腎風狀能有七一曰多汗二曰惡風三曰

面腫四曰脊痛五曰面色黑如炲丈夫足六曰隱曲

[illegible]不以[illegible]言[illegible][illegible]其[illegible]一日多汗二日惡風三日面腫四日脊痛五日面色黑如目炲大才反六日隱曲不利謂大小便不得[illegible]七日[illegible][illegible]頭[illegible]脊部也有[illegible]為肌[illegible][illegible]

胃風之狀頸多汗惡風食飲不下鬲塞不通腹善滿失衣則䐜脹食寒則泄診瘦而䐜腹大胃風狀能有八一日頸多汗二日惡風三日飲食不下四日鬲塞不通[illegible]不通也五日腹善滿六日失衣䐜脹七日食寒則泄八日胃風形診謂瘦而腹大者胃風候也

首風之狀頭面多汗惡風當先風一日則病甚頭痛不可以出內至其風日則病少愈首風狀能有三一日頭面多汗二日惡風三日好[illegible]不謂風之

瘦不下，出故至其病曰則病食運々狀能 膈三：一曰頸面多汗，二曰惡風，三曰飲食不（下）。出非不得通於亡出，內者不得在當也。漏風之狀，或多汗，常不可單衣，食則汗出，甚則身汗，喘息惡風，衣常濡，口乾善渴，不能勞事。漏風狀能有七：一曰多汗，諸稟漏；則汗衣單則寒；二曰得食汗甚，病甚熱于；三曰惡風々；四曰衣常濡恆濕；五曰口乾；六曰善渴；七曰不能勞事也。泄風之狀，多汗，汗出泄衣上，口中乾，上漬，其風不能勞事，身體盡痛則寒。泄風狀能有四：一曰多汗，汗污衣上；二曰口乾；三曰上漬；四曰身體盡痛，皮膚冷也。

早勞則體

[illegible]帝[illegible]寒[illegible]一此三[illegible]反七[illegible]也四

甲乙同[illegible]痛寒也

諸風雜論

黄帝曰：夫子言賊風邪氣之傷人也，令人病焉，今有其不離屏蔽，不出室內之中，卒然病者，非必離賊風邪氣，其故何也？賊風者，風從衝上所勝處來，賊邪風也。離，歷也。賊邪之風，更來人皆非離，是壹日不離屏蔽室內，不歷賊風邪氣，仍亦病者，其古一也。岐伯曰：此皆嘗有所

[illegible]病若與[illegible]合[illegible]也。此皆嘗有所

傷於濕氣，藏於血脈之中，分肉之間，久

留而不去；若有所墮墜，惡血在內而不

去。卒然喜怒不節，飲食不適，寒温不時，

腠理閉而不通。其開而遇風寒，則血氣

凝結，與故邪相襲，則為寒痹。其有熱

則汗出，汗出則受風，雖不遇賊風邪氣，

必有因加而發焉。人雖不離屏室之中，傷於寒濕，又因墮墜，惡血、寒濕

惡氣藏於血脈中，又因喜怒飲食寒温失理

[illegible]力[illegible]蓋[illegible] 寒溫。又曰墮前惡血。寒溫
惡氣善飲藏於血脈中。又曰喜怒飲食寒溫失理
逆令腠理閉塞壅而不通。若當腠開遇於風寒則
血氣凝結與舊[illegible]故邪[illegible]逆為寒痺雖在弃
發之中[illegible]熱汗 腠開受[illegible]對乃屏內之中加[illegible]
諸病不曰
賊風者
黃帝曰：夫子之所言者皆病
人之所自知也其毋所遇邪氣又毋怵惕
之志卒然而病者其故何也唯有
鬼神之事乎 曰內邪得病人豈能自知仍有自 知遇寒邪又無喜怒怵
惕之志有乎然為病 當是心神為之乎 岐伯曰此亦有故邪留
[illegible]

當是心神爲之乎。此亦有故邪留

而未發也，因而志有所惡，及有所慕，

血氣內亂，兩氣相薄，其所從來者微，視

之不見，聽而不聞，故似心神。從下者吞意恋 無故𤝉挃內赤

非無怵惕之志，故有所惡所爲怒也，憂有所樂，即爲喜也。有此兩者相薄，血氣亂，形生病，所[illegible]，微細視聽難知，衆人謂知鬼神，非鬼神也。

黃帝曰：其祝而已者，其故

何也？岐伯曰：先巫者，因知百病之勝，先知

其病之所從生者，可祝而已。黃帝曰：善。先巫

知者，巫先於人，因於鬼神前知事也。知於百病從勝

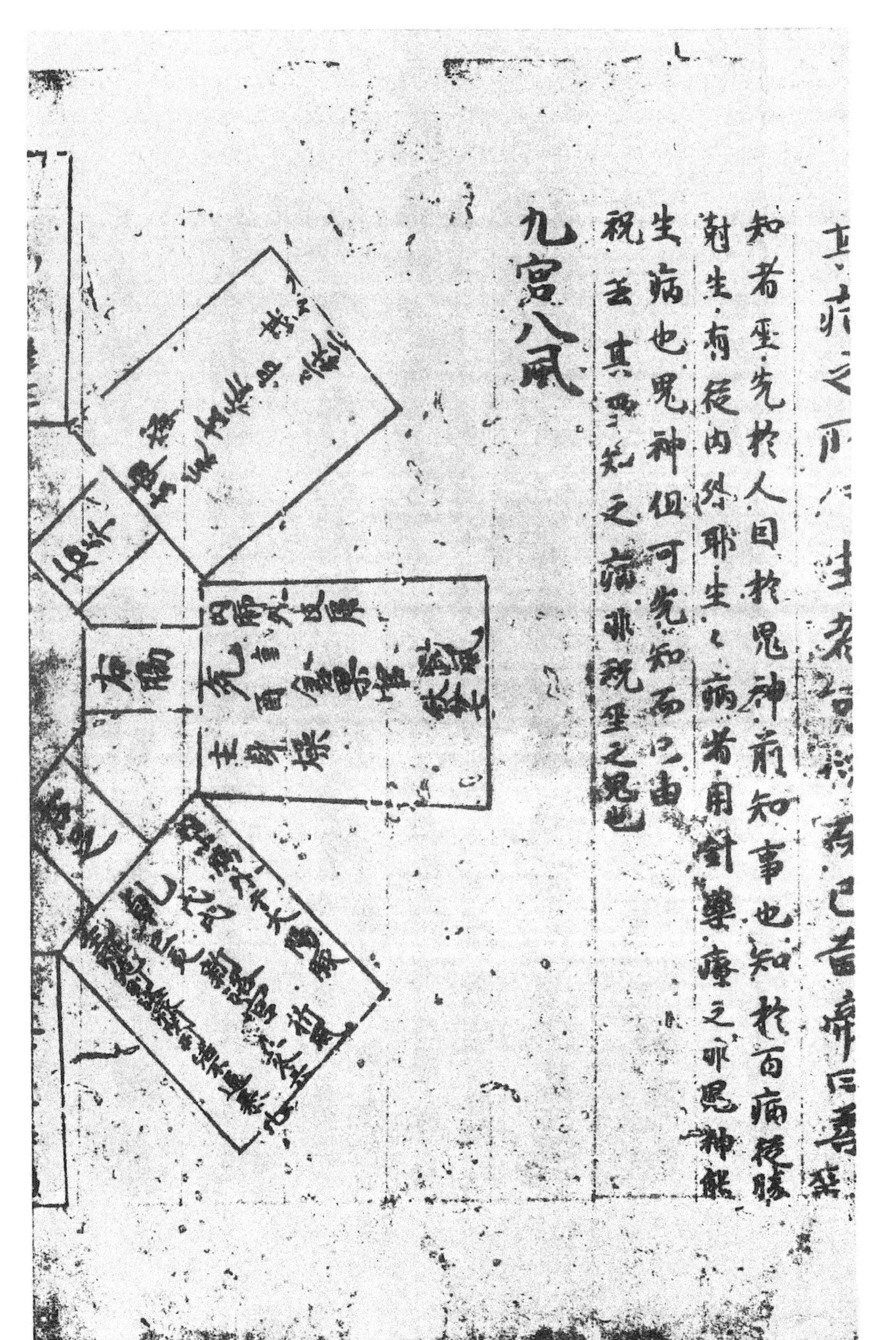

其病之所從生者可祝而已者帝曰善

知者巫先於人因於鬼神前知事也知於百病從勝尅生有從内外邪生々病者用針藥療之非鬼神能生病也鬼神但可先知而已由祝去其巫知之病非祝巫之鬼也

九宮八風

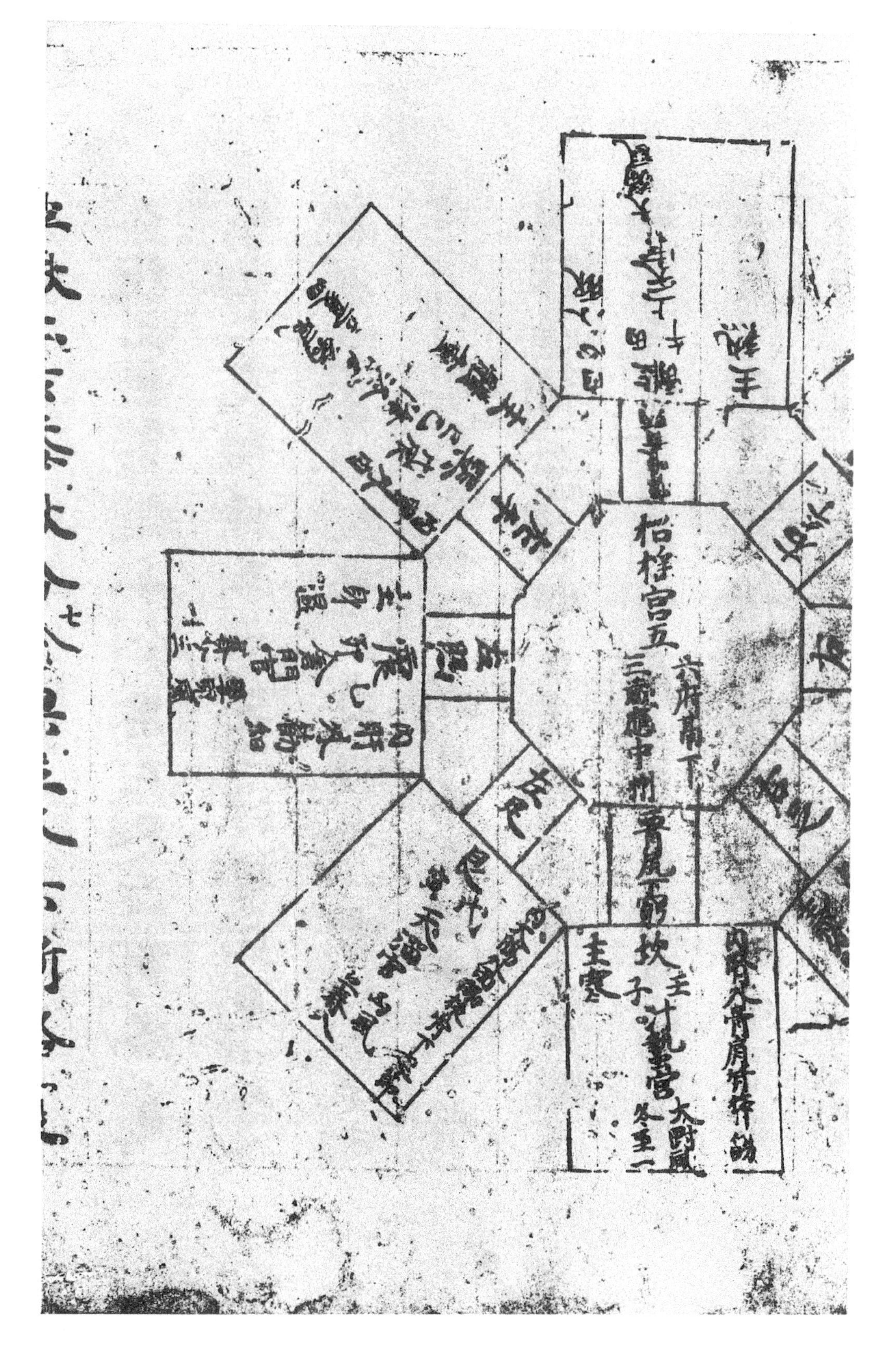

立秋二玄委秋分七倉果立冬六新洛夏

至九上天招搖五冬至一汁蟄立夏四陰洛

春分三倉門立春八天溜太一常以冬至之

日居汁蟄之宮卌六日明日居天溜卌六日明

日居倉門卌六日明日居陰洛卌五日明日

居上天卌六日明日居玄委卌六日明日居

倉果卌六日明日居新洛卌五日明日復居

倉果卌六日明日居新洛卌五日明日復居汁蟄之宮從其宮數所在日從一處至九日復反於一常如是無已終而復始太一徙日天必應之以風雨以其日風雨則吉歲美民安少病矣先之則多雨後之則多旱太一在冬至之日有變占在君太一在春分之日有變占在相太一在中宮之日有變占在吏太一在秋分之日有變占在將太一在夏至之日有變占在百姓所謂有變者太一居五宮之

至之日有變占在將太一在夏至之日有變
占在百姓所謂有變者太一居五宮之日疾風
折樹木揚沙石各以其所主占貴賤因視風
所從來而占之從其所居之鄉來為實風主
生長養萬物從其衝後來為虛風傷
人者也主殺主害者也謹候虛風而避之
故聖人避邪弗能害此之謂也是故太一入
徙立於中宮乃朝八風以占吉凶也以下言太一徙於中宮以
朝八風以[illegible]

後箕者宮八箕八兩以占吉凶也從於中宮以

朝八風以占吉凶也 風從南方來名曰大弱風其傷人也

內舍於心外在於脈其氣主為熱風從西南

方來名曰謀風其傷人也內舍於脾外在於

肌其氣主為弱風從西方來名曰剛風其傷

人也內舍於肺外在於皮膚其氣主為身燥

風從西北方來名曰折風其傷人也內舍於

小腸外在手太陽脈脈絕則溢脈閉則結

不通善暴死風從北方來

小腸外在手太陽脈脈絶則溢脈閉則結

不通善暴死　風從北方來名曰大剛之風其

傷人也内舍於腎外在於骨與肩背之膂

筋其氣主爲寒也　風從東北方來名曰凶風其

傷人也内舍於太腸外在於兩脅腋骨下及

支節　風從東方來名曰嬰兒之風其傷人也

内舍於肝外在於筋紉其氣主爲身濕　紉女印反　又[illegible]也

諸筋膊之也　風從東南方來名曰弱風其傷人也

之也 而從東南方來名曰弱風其傷人也

舍於內外在於肉其氣主體重

凡此八風皆從其虛之鄉來乃能病人三虛

相搏則為暴病卒死兩實一虛病則為淋

露寒熱犯其雨濕之地則為痿故聖人避邪

風如避矢石焉其有三虛而偏中於邪風則

為擊仆偏枯矣 風從衝後來者虛風從來也三虛謂年虛月虛時虛三虛之中遇一實二虛

但人下虛遇邪相為淋也然熱居虛濕地亦為痿故況二虛一實遇邪其病安得不甚者先三虛遇邪致擊

仆偏枯

二虛一實遇邪其病安得不甚若先三虛遇邪必致斃作偏枯之病也

三虛三實

黃帝問少師曰余聞四時八風之中人也故有寒暑寒則皮膚急而腠理閉暑則皮膚緩而腠理開賊風邪氣因以得入乎將必須八正虛邪乃能傷人乎黃帝謂四時八節虛邪賊氣中人要因其暑腠理開時因入傷人故致斯問也少師荅曰不然賊風邪氣之中人也不得以時少師荅意腠理開者賊邪中深腠理閉者賊邪

致斯聞也少師荅曰不然賊風邪氣之中人也不
得以時少師荅意腠理開者賊邪中深腠理閉者賊邪中淺以其賊邪賊害甚也不得以時者暑寒之
時即入開之待不入之也然必因其開也其入也深其內極
也疾其病人也卒暴邪之中人若因腠理開者為害有三一則邪入深也二
則殘人速三則病死卒暴也因其閉也其入也淺以留其病人
也徐以持也若腠理閉為過有二一則邪入淺也二則為病死徐持久留之也黄帝曰
有寒溫和適腠理不開然有卒病者其故何
也少師曰帝弗知邪入乎雖平居其腠理開閉
緩急其故常有時也乎和適也人雖知適而居腠理開

也少師曰帝弗知邪入乎雖平居其腠理開閉
緩急固常有時也手和適也人雖和適而居腠理開閉來去因於寒暑因於月之滿虧人氣
盛衰故腠理開閉有病不病斯乃人之常也黃帝曰可得聞乎少師
曰人與天地相參也與日月相應也人是之身也與天地形
象相參身盛衰也與日月相應也故月滿則海水西盛日為陽也月為陰也
東海陽也西海陰也月有虧盈海水之身應月屋寶也月為陰精生水故月滿西海盛也人血氣
積肌肉充皮膚緻毛髮堅腠理郄煙垢著當
是之時雖遇賊風其入淺亦不深人身盛時法月及與西海皆善
盛實也但賊邪不入也有六實一曰[illegible]氣賊而不[illegible]二

是之時雖遇賊風，其入淺不深，及與西海皆盛實也，但賊邪不入也。有六實：一曰血氣精而不濁，二曰肌肉充實不疏，三曰皮膚密緻不開，四曰毛髮堅實不虛，五曰腠理曲而不通，三膲之氣發於腠理，故曰膲理，膲理曲也，六曰烟塵垢膩蔽於腠理，有此六實，故賊風雖入不深也。至其月郭空，則海水東盛，人血氣虛，其衛氣去，形獨居，肌肉減，皮膚縱，腠理開，毛髮殘，膲理薄，烟垢落，當是之時，遇賊風則其入也深，其病人也卒暴。人身衰時，謂月郭盛，西海皆盡，月空東海實者，陰衰，盛也。凡有八衰：一曰血氣虛濁，謂當脈血氣虛也；二曰衛氣減少，謂脈外衛氣去而少也；三曰肌肉疏瘦；四曰皮膚虛緩；五曰腠理空開；六曰毛髮虛淺

當脈虛氣虛也二曰衛氣減少諸脈外衛氣虛而少也三
曰肌肉踈疏四曰皮膚虛緩五曰腠理空開六曰毛髮殘落
七曰膲理踈薄八曰理無烟垢有此八虛所以敵病來
入令人卒病也黃帝曰其有卒然卒死暴病者何邪使然
然少師曰得三虛者其死暴疾得三實者邪
不能傷人也人傷三虛死矣病死暴疾也黃帝曰願聞三虛少師
曰乘年之衰人年七歲加於九歲至十六歲名曰年衰如是恒加九歲至一百六皆年之衰也歲露年以其人賢邪不傷故人至此年名曰年衰也逢月之空月郭空時人具虛當此虛時故曰
也逆失時之和因為賊風所傷是謂三虛故論
[illegible]

也失時之和因爲賊風所傷是謂三虛故論不知三虛工反爲粗猶養生於四時和氣亦理[illegible]風寒暑退人之有此三虛[illegible]衝後發屋折木揚沙走石奇賊風至身酒與起於毫毛發於腠理即爲賊風傷也黄帝曰願聞三實少師曰逢年之盛逢年謂充如年盛也遇月之滿十五日時也得時之和雖有賊風邪氣不能危之猶養生於四時和氣人之有此三實雖有賊邪不能傷也黄帝曰善乎哉論明乎哉道請藏之金匱命曰三實然此一夫之論也子之所論皆善者以□內明於道故請藏而寶之此舉一夫之論以類衆人也

也藏而寶之此基一六之論以顯異人也

八正風候

黃帝曰願聞歲之所以皆同病者何因而然此章言人有攝養求知過職邪之失此言同受邪風俱有傷害以為問之也少師曰此八正之候也八正候者八節之正虛邪候也黃帝曰候之奈何少師曰候此者常以冬之至日太一立於汁蟄之宮其至也天應之以風雨〻〻從南方來者爲虛風賊傷人者也其以夜至者萬民皆卧而弗犯也故其[illegible]宮禁曰太一者元皇之使[illegible]

候人若此其以夜至者萬民皆臥而弗犯

也故其歲民少病〻宮緣曰太一者元皇之使常居北極之傍汁蟄上下政天地之常[illegible]

蟄也汁蟄坎宮名也太一〻重坎宮冬心應之從風雨〻訖后

從太一所居鄉〻來向中宮名為實風主生長養萬物者

風從南方來向中宮為衝後來虛風賊傷人者也　其〻以

其歲風夜至人皆寢臥〻不犯其風人少其病也

晝至者萬民懈惰而皆中於虛風故萬民

多病虛邪入客於骨而不發於外至其立春

陽氣大發腠理開因立春之日風從西方

來萬民又皆中於虛風此兩邪相搏經氣

也弋懈惰謂不自收節情逸腠開邪客至骨而不外發

萬民又皆中於虛風此兩邪相搏經氣結
絕代懈惰謂不自收節情遊腠開邪客至骨而不外泄至立春日復有虛風從西方衝此兩邪相遭則兩更
相搏致經脈絕代以為病也骨有本作冒也故諸逢其風而遇其雨者
命曰遇歲露焉因歲之和而少賊風者民少
病而少死歲多賊風邪氣寒溫不和民多
病而多死矣露有其二一日春露主生萬物者也二日秋露主衰萬物者也今歲有賊風暴
雨以衰於物比秋風露故曰歲露焉是以實風至也歲和有虛風至也歲露致虛也黃帝曰虛
邪之風其所傷貴賤何如候之奈何從此下言候虛風所傷
貴賤故曰少師曰正月朔日太一居天留之宮

邪之風，其所傷貴賤何如，候之奈何？屈風所傷貴賤，故曰候之也。少師曰：正月朔日，太一居天留之宮，其日西北風不雨，人多死。以下具言屈風也。正月朔日平旦北風，春，民多死者也。正月朔日平旦北風行，民病死者十有三。正月朔日日中北風，夏，民多死者。正月朔日夕時北風，秋，民多死者。終日北風，大病死者十有六。正月朔日風從南方來，命曰旱鄉；從西方來，命曰白骨，將國有殃，人多死亡。正月朔日風從東方來，發屋

命曰旱鄉從西方來命曰白骨將國有殃

人多死亡正月朔日風從東南方來發屋揚

沙石國有大災正月朔日風從東南行春有

死亡正月朔日天和溫不風糴賤民不病天寒

而風糴貴民多病此所以候歲之虛風賊傷人

者二月丑不風民多心腹病三月戌不溫民

多寒熱四月巳不暑民多癉病十月申不寒民多

暴死

諸所風者皆發屋折樹木揚沙石起毫

累死

諸謂風者皆發屋折樹木揚沙石起毫毛發

腠理

痺論

黄帝問岐伯曰：痺安生？岐伯曰：風寒濕三氣雜至，合而爲痺。風寒濕等各爲其病，若三氣雜合共爲一病，積爲痺。其風氣勝者爲行痺，寒氣勝者爲痛痺，濕氣勝者爲著痺。若三合一多，即别受痺名，故三中風多，名爲行痺。諸其痺病移轉不住，故曰行痺。三中寒多，名爲痛痺，故曰痛痺。三中濕氣多，住而不移轉，故曰著痺者

□□□痹。諸其痹病移轉不住，故曰行痹。三□寒中，盛為痛，故曰痛痹。三中濕氣多，住而不移轉，故曰著痹。著住也。此三種病，三氣共成，異於代病，有寒有熱，有痛不痛，皆若為所也。問曰：其五蓄何也？答曰：以冬遇此者為骨痹，以春遇此者為筋痹，以夏遇此者為脈痹，以至陰遇此者為肌痹，以秋遇此者為皮痹。冬時不能自調，遇此三氣，以為三痹。偎積骨痹，以冬□也。餘四放此。至陰六月脾所主也。問曰：內舍五藏六府，何氣使然？五時藏於三氣，以為五痹，其義已知，而有痹病內舍藏府，未中何氣使然也。答曰：五藏皆有合，病久而不去，內舍其合

故曰骨痹不已，復感於邪，內舍於□

也

帝曰：五藏皆有合，病久而不去者，內舍其合。故骨痹不已，復感於邪，內舍於腎；筋痹不已，復感於邪，內舍於肝；脈痹不已，復感於邪，內舍於心；肌痹不已，復感於邪，內舍於脾；皮痹不已，復感於邪，內舍於肺。五藏合者，五藏五輸之中皆有合也。諸脈從外來合五藏之處，故名爲合也。是以骨筋脈肌皮等五痹久而不已，內舍於合，在合腑復感邪之氣，轉入於藏，入藏者死之也。所謂痹者，各以其時重感於寒濕之氣也。諸痹不已，亦益於內。其風氣勝者，其人易已也。所謂五痹不已者，各其時

不寒溼之氣也故痺不已亦益於內其病

氣勝者其人易已也所謂五痺不已者各以其時重感於風寒溼之氣益內五藏之痺者死答風者易已也問曰其時有死者或疼久者或易已者其何故也痺之輕重無過此三故為問之也答曰其入藏者死以藏有神故痺入致死也其留連筋骨間者疼久者留繫在於筋骨之間故筋骨疼痛之也其流皮膚間者易已流行在於皮膚淺處之間動而又淺故易已也問曰客六府者何也答曰此亦其食飲居處為其病本六府各有輸風寒

溼氣中其俞而食飲應之循俞而

飲居處為其病本也六府亦各有俞風寒
濕氣中其俞而食飲應之循俞而入各
舍其府 以上言痹入藏以下言痹入府所由風寒濕等三氣外邪中於府輸飲食居處
內邪應內以引外邪痹入六府中其輸者六府之合也 問曰以鍼治之奈何
荅曰五藏有俞六府有合循脈之分各有所
發各治其過則病瘳已 五藏輸者療痹以府五藏之輸閭自療痹
之要以痛為輸令非取五藏之輸何以遍之
荅曰有痛之痹可以痛為輸不痛之痹若為以
痛為輸故知量其所宜以取其當是鑿之意也療
六府之痹當取其合原以藏府輸合皆有藏府
脈氣所發故用[illegible]

六府之痺，當取其合。臣以藏府輸合，皆有藏府脉氣所發，故同而誅之。問曰：營衛之氣，亦令人痺乎？此明營衛二氣何？若與三氣合爲痺也。答曰：營者，水穀之精氣也，和調於五藏，灑陳於六府，乃能入於脉，故循脉之下，貫五藏，絡六府。營衛血氣循經脉而行，貫於五藏，調和精神，絡於六府，灑陳和氣，陳起也，故與三氣而合以爲痺也。但十二經藏脉貫藏絡府，府脉貫府絡藏，皆爲營氣，何因此言於營氣唯貫於藏，但絡於府？然此所言，但舉一邊藏府之脉貫絡，是同之也。衛氣者，水穀之悍氣也，其氣慓疾滑利，其不能入於脉，故循皮膚之中，分肉之間，熏於肓膜

悍氣也其氣慓疾滑利其不能入於脉故
循皮膚之內分肉之間熏於肓膜散於
胷腹逆其氣則疾順其氣則愈不與
寒濕風氣合故不為痺 黄帝曰善 衛之水穀悍氣
其性剽疾走於皮膚分肉之間熏於胃募故能[illegible]
胷腹壅之則生塵直之病遁之無疾是以不與三氣
合而為痺也 問曰痺或痛或不痛或不仁或寒
或熱或燥或濕者其故何也 三氣為痺狀凡有[illegible]
故請衛之 荅曰痛者其寒氣多有衣寒故為
痛內受寒氣既多復和寒生[illegible]

節之荅曰痛者其寒氣多有衣寒故痛
痛内受寒氣既多復秋寒生與内外有寒故痹有痛
其不仁者其病久入深營衛之行濇經絡時疏而不痛膚痛
不營故為不仁其寒者陽氣少陰氣多
與病相益故寒仁者親也覺也營衛及經脈之氣疏遲不營皮膚神不至於皮膚
中故皮膚不覺痛癢名曰不仁所感陽熱氣
少陰寒氣多與先所病相益故痹為寒也
其熱者
陽氣多陰氣少病氣勝陽遭陰故為痹熱
所感陽熱氣多陰寒氣少陰陽二氣
相逢相擊陽勝為病故為痹熱也
其多寒汗而

相逢相擊陽勝爲病故爲痺熱也　其多寒汗而濡者此其逢濕甚其陽氣少陰氣盛兩氣相感故寒汗出濡　所感陽氣以少濕與寒氣相感故寒而汗濡衣濕也　夫痺之爲病不痛何也　三氣合而爲病謂痺而有不痛者其故何也　曰痺在骨則重在脈則血涘而不流在筋屈不伸在肉則不知在皮則寒故具此五者則不痛凡痺之類逢寒則急逢溫則縱　黄帝曰善　三氣以爲痺所在有五一人具此五者爲[illegible]其痺不痛此爲不痛之痺有所痺者痛者未爲[illegible]痺者也不[illegible]

黄帝曰善 其痺不痛，此為不痛之痺，須云痺者痛者求為解痺者也，不知者不覺不仁也

黄帝問岐伯曰：周痺之在身也，上下移徙隨脈，上下左右相應，閒不容空，願聞此痛之在血脈之中邪？將在分肉之閒乎？何以致是？其痛之移也，閒不及下針，其蓄痛之時，不及定治而痛已止矣，何道使然？願聞其故 夫周痺者邪居分肉之閒，令正氣循身不周

其因為痺，誠循周痺，令帝之意，言廿六[illegible]術繳上下移徙往來，無要不至，名為周痺。岐伯之意，言於此痺行於衆處，可為衆痺，非周痺也。閒不及下[illegible]

發徙往來無處不至，名為周痹。岐伯之意，言於此痹行於衆處，可為衆痹，非周痹也。聞其及下針者，痹痛之中來，及下針，其痛已移也。岐伯曰：此衆痹也，非周痹也。黄帝曰：善。願聞衆痹。岐伯對曰：此各在其處，更發更止，更居更起，以右應左，以左應右，非能周也，更發更休。言衆痹在身左右之處，更刃而發，不能周所，故曰衆痹，居起動靜也。黄帝曰：善。刺之奈何？岐伯對曰：刺此者，痛雖已止，必刺其處，勿令復起。此衆痹在身，所居不移，但痛有休發，故其痛雖止，必須刺其痛[illegible]令不[illegible]

厥令後起故其痛雖已恐須刺其痛來之處

令不訖也黃帝曰善願聞周痹何如岐伯對曰周

痹者在血脉之中隨脉以上循脉以下不能

左右各當其所言周痹之狀痹在血脉之中循脉上下不能在其左右不徙其處但以壅

其真氣使營身不得故名周痹之也黃帝曰善刺之奈何岐伯對曰

痛從上下者先刺其下以過之後刺其上以脫之痛從下上者先刺其上以過之後

刺其下以脫之刺周痹之法觀痹從上行下者刺向下之前從其不得進而下也故後刺其痹後使氣洩脫也有痹從下上者准前可知也黃帝曰善此痛安生何

因而有名問周痹之所由者[illegible]

痺從下上者，後前可如也。黃帝曰：善。此痛安生？何因而有名？於問周痺之所由者，問周痺名之所起也。岐伯對曰：風寒濕氣客於分肉之間，迫切而為沫，沫得寒則聚，聚則排分肉而裂分也，分裂則痛，三而未以之周痺痛發而行至分肉之間，氣聚排迫分肉，分裂而為痛也。痛則神歸之，神歸之則熱，熱則痛解，痛解則厥，厥則他痺發，發則如是。前神即神歸痛，痛痛不已，故熱氣集而痛解，此處解痛已即餘處痛生，周痺徙發，如是以為徙起也。

黃帝曰：善。余已得其意矣。此內不在藏

黃帝曰善余已聞其意矣此内不在藏

外未發於皮獨居分肉之間真氣不能周

故命曰周痺（從下解周痺名也）故刺痺者必先切循

其下之六經視其虛實（六經三陰三陽也切循[illegible]痛之下六經虛實一[illegible]）

及大絡之血結而不通（切循十五大絡知其[illegible]）及虛而

脈陷空者調之熨而通其瘛堅轉引而行

之黃帝曰善余以得其意矣亦得其事

（又循其脈知其虛陷之三也幽隱故以其法用熨熨之令[illegible]

調適又以導引瘛堅轉引令其氣行方始刺之[illegible]

之要也緊急[illegible]）

調適之，以導引，導引謂熨轉引令其氣行，方始刺之，此為療之要也。緊急轉轉令緩也。人九者經脈之理，十二經脈陰陽之病也。得其事者，謂得之人，淺才九野經脈陰陽之病也。問曰：人有身寒，湯火不能熱也，厚衣不能溫也，然不凍慄，是為何病？人身體冷熱發寒，其病難知，故須問也。答曰：是人者，素腎氣勝，以水為事，太陽氣衰，腎脂枯不長，一水不能勝兩火，腎者水也，而生於骨，故腎不生則髓不能滿，故寒甚至骨也。素，先也。其人腎氣先勝，是太陽腎府又先勝脂

而生於骨腎不生則髓不能滿故寒甚

至骨素先也其人腎氣先勝是太陽腎府又以冷沍枯竭不能潤長以其一腎藏府之伏與心肝二陽

冠坐之身為陽所擊一水不勝二陽故冬為寒至於骨髓長炎不能溫也所以不能凍慄

者肝一陽也心二陽也腎孤藏也一水不能

勝上二火故不能凍慄者病名曰骨痹是

人當攣節雖寒至骨二陽猶勝是以不覺寒然遂為骨痹之病是人當為骨節拘攣也

本攣為變人有此病也許樣變改也問曰人之肉奇吖付也雖

近衣絮猶尚奇也是為何病也荅曰營氣

虛衛氣[illegible]

近衣絮猶尚苛也是謂何疾也荅曰營氣虛衛氣實衛氣虛則不仁而不用營衛俱虛則不仁且不用肉如苛也人身與志不相有也曰死苛音何有本為苛皆不仁之意也故雖衣絮温覆猶尚不仁苛謂之苛也故知以衣絮温覆即知覺者是不仁也營虛衛實氣至覺知故猶仁也若營衛虛者則不仁也若營衛俱虛則不仁之甚故肉同苛如同風也所以身之內不仁甚者與神不能相得至死也痺淫病不可已者足如履冰時如湯入腹中脹脛溪濼煩心頭痛時歐時悗眩以

[illegible]

汗出久則目眩悲以喜恐短氣不樂不

出三年死人病風癉之病又有此十二狀者不出三年死也

黃帝内經太素卷第廿八

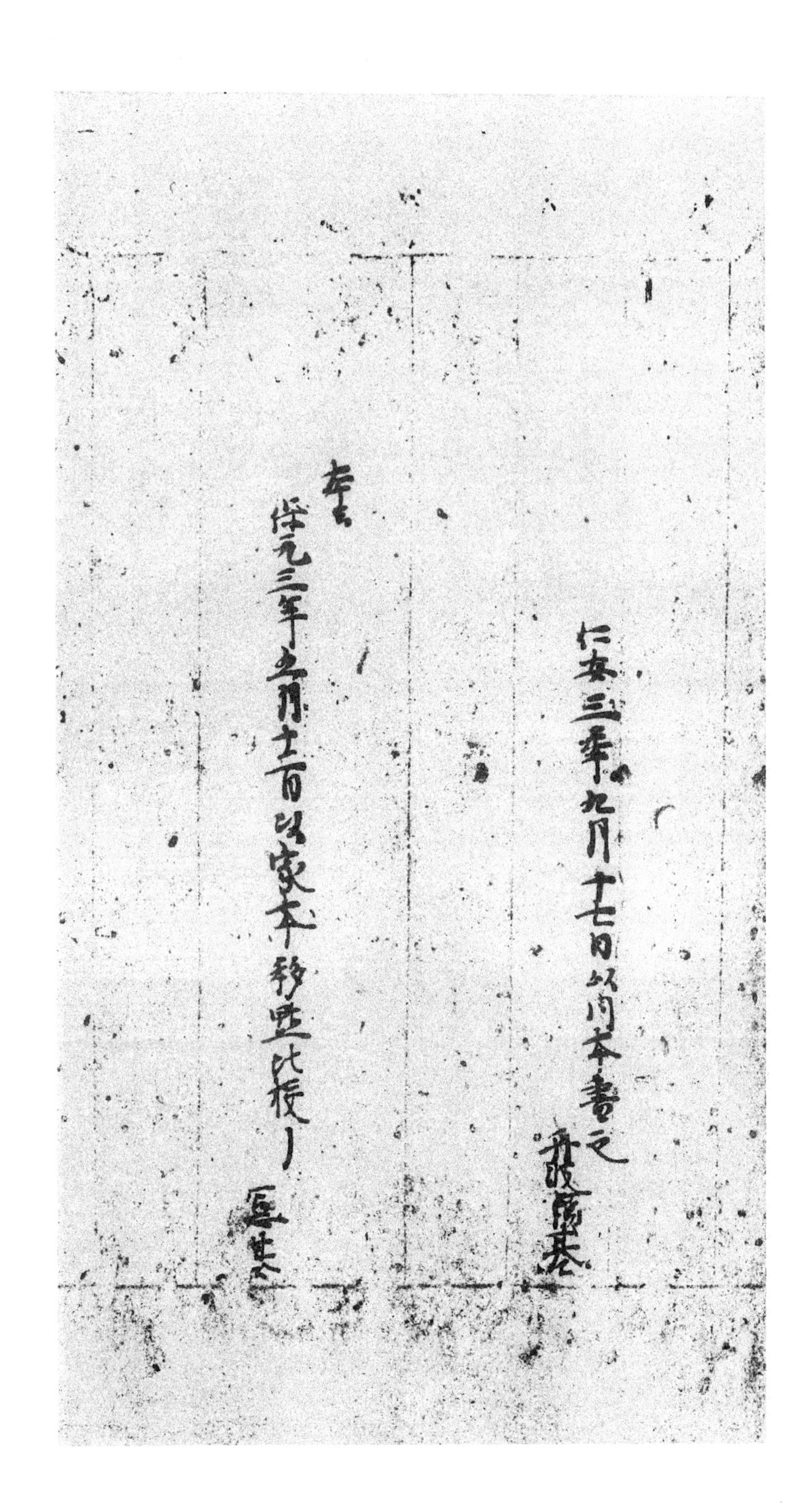

仁安三年九月十七日以同本書之

丹波賴基

本云

保元三年正月十二日以家本移點比校了

憲基

黄帝内經太素卷第廿九

三氣

氣水論

黃帝曰余聞有真氣有正氣有邪氣

首四行缺

黄帝曰余聞[illegible]

因其氣[illegible]

驗[illegible]

也 正氣者正風也從一方來非實風又非虛風也

四時之風春東風夏南風秋西風冬北風皆曰各從[illegible]

一方來者從太一所居衝來向中宮[illegible]為實風從衝後來向中宮名虛風令四時[illegible]

風非虛非實也

[illegible]也其[illegible]

十行欠

[illegible]協有寒故脉牽一也亦名脉痺二也薄於脈中則爲血閉不流[illegible]通利

[illegible]瘧[illegible]薄脉有寒[illegible]寒而不行[illegible]薄於肉與[illegible]

衛氣相薄陽勝者則爲熱邪與衛合其陽勝則爲肉熱也

也陰勝則爲寒邪與衛合其陰勝則同寒則真氣去去[illegible]

[illegible]寒薄於皮膚之間其氣外發腠理開毫

毛淫氣往來行則爲痒[illegible]氣[illegible]神氣[illegible]在皮膚之間以

[illegible]痛本也其氣[illegible]

[illegible]皮膚之間[illegible]

人[illegible]病本也其氣衰[illegible]則痛痺

[illegible]

合則為痺痛六也 衛氣不行則為不仁氣在於

皮膚衛氣不營逆 虛耶偏客於身半其入深

[illegible]人故為不仁七

居營之衛之精衰則[illegible]

藏為偏枯[illegible]

十二行[illegible]

[illegible]人搖之所生者[illegible]文也十四　有[illegible][illegible][illegible]骨
[illegible]氣行內之蓄大則為[illegible][illegible][illegible]骨與[illegible]
[illegible]積曰骨十五也　有所結中於肉氣歸之邪留而不
去有熱則化而為膿[illegible]氣為氣交發邪邪居熱[illegible]肉[illegible]為膿膿十六
熱則為肉疽[illegible]凡此數氣
[illegible]其發無常處而有常名也[illegible]邪氣[illegible]無[illegible]定[illegible]有
[illegible]十七[illegible]名也

別名也

津液

黃帝問岐伯曰水穀入於腸胃其液別為五天寒衣薄則為溺與氣天熱衣厚則為汗悲哀氣并則為泣中熱胃緩則為唾邪氣內逆則氣為之閉塞而不行不行則為水脹然之不知其所由生願聞其說輸送也水穀入於口送於腸胃中化為津液凡五五別則五液津液汗書液者通名為津經稱津者不名為液故液有五也

□□而□上言為清液也五別論曰五藏津液汗言
良者通名為津注稱津者不名為液故液有五也
略舉五液請辨其義之矣也
岐伯答曰水穀皆入於口其味有五各注其海
味走於五藏四海所以言五藏□□□者二味走於血以下咽
水穀之氣味並有味走於四海所以兼有氣故氣走於膻
中氣海味走腦髓津液各走其道因為汗道腠理為
故酸走骨泌之也汗道腹分為泡
道鼻為涕道
為咽道也故上焦出氣以溫肌肉充皮膚為
其津上焦出氣出胃上口名曰衛氣溫煖肌肉潤澤皮
膚於腠理故稱為津之也
其留而不行者為液□□□□注骨屬□
□□者謂之為液
□□之□□□□□之□□□□日熱□腠理開

……留而不行者為……之為液

天暑衣厚則腠理開故汗出因熱而腠理開而出者謂之為汗

寒留於分肉之間沫聚則為痛寒留分肉之間津液聚沫

以發分肉所以為痛天寒則腠理閉氣濇不行水下溜

膀胱則為溺與氣水氣所由也五藏六府

心為之主耳為之聽目為之候肺為之相肝

為之將脾為之衛腎為之主水故五藏六府

之津液盡上滲於目心悲氣并則心系急

之泣[illegible]盡[illegible]於目[illegible]則心系急也

急ゝ肺系舉ゝ則液ゝ溢夫心系與肺不能

常（泣咦者泣出之時刻氣張口也）中熱則胃中消穀ゝ消則蟲上下ゝ

作，腸胃充郭，故緩ゝ則氣逆，故蟲出（蟲音三蟲也郎）

（者胃脘也穀消之時則蟲動上下腸胃寬充郭中故腸胃緩而氣上厭ゝ嘔也）五穀之津

液和合而為膏者內滲入於骨空補益腦

髓而下流於陰ゝ陽不和使則液溢而下流於

陰髓液皆減而下ゝ過度則虛ゝ故骨脊痛而

胻痠（補益腦髓者穀之津液和合為膏滲入頭骨空中）

陰髓液皆減而下〻過度則虛〻故背痛而胻痠

胻痠補益腦髓着穀之津液和合為〻膏滲入頭骨空中補益於腦滲入諸骨空中補益〻腦髓〻滲入諸骨空中補益於髓下流陰中補〻〻精益陰陽過度不得以理和使精液溢下於陰以其分減髓液過多故虛而脊痛及胻痠也

陰陽氣道不通四海閉塞三膲不寫津液不化水穀并於腸胃之中別於迴腸留於下膲不得滲膀胱則下膲脹水溢則為水脹藏府陰陽於待私遏則四海閉而不寫雖護而不寫其氣不得化為津液水穀并於腸胃不流別於迴腸而留下膲不滲入於膀胱脹於下膲溢入於身故為水脹也此津液五別之順逆此上五別是謂津液逆順之數

入於身故為水脈也此以治五臟六府之津液逆順之數

水論

黃帝坐明堂雷公曰臣受業傳之以教皆以經論從容形法陰陽刺灸湯液藥滋所行治有賢不肖未必能十全謹聞命矣 天地之間四方上下六合宇間有神明居中以明造化故号明堂法天地為室聖明居中以明道以積為明堂從容者詳審貌也行受太素經論精生女形詳審之法謂是陰陽刺灸湯液藥[illegible]練之行要妙也賢不肖行之不能十全謹受記命雷公言已領解之

黃帝曰善先言悲哀喜怒燥濕寒暑陰陽婦女 吾治也先所言人悲哀喜請問所由者貴面賤者及諸章下尚閒[illegible]

先言悲哀喜怒燥濕寒暑陰陽婦女 言人悲哀壽

請問所由有貧富賤貴受諸群下 通使臨事之從使之適於道術聞其命 請問其所以然

者卑賤富貴人之形體所從群下通使臨

事以適道術謹聞命矣請問其有毚愚仆

漏之問不在經者欲聞其狀 雷公問有毚仆漏 問雖合於道然不

在經者欲 知其狀也 黄帝曰大矣 仆漏所問之 義大矣也 曰請問哭泣

而淚不出者若出而少涕其故何也 泣後同下 涕自鼻出

出問為一液也故人哭之時諸泣交連然後 哭而無泣縱有泣涕少何也涕淺也 黄帝曰在經

是此在經已陳之 復問[illegible]

夫而無泣從有泣涕少何也涕淚也　黄帝曰在經
是此在經已陳之義非作偏之問也　又復問不知水所從生涕所從
出　水者泣也請問涕泣何所從生也　黄帝曰若問此者無益於治
工之所知道之所生也　言治也治之病者無益於今仁義雖有益於身道於人之道故是工者道
之生之道　夫心者五藏專精也目者其竅也華色
者其榮也是以人有得也則氣知於目有亡
憂知於色是以悲哀則泣泣下下水所由生
心為五藏身之總主故為專精目為心之竅華色為心之榮故有得通於心於氣見於目觀目可知其人喜也
亡於己者亂見於色視色可視人之亡者青人者主

心之榮顯故有得通於心非氣見於目覩目可知其人喜也 亡亡於已者氣見於色視色可見其人憂也心悲氣者泣下泣生之也
泣宗者精水者至〻陰〻者腎之精也宗精之水所由不出者是精持之也輔之裹之故水不行也 宗本也水之本是腎之精至陰者也則知人哭泣不出皆是至陰本精精裹之持之故不得出之者也
夫水之精為志火之精為神是以目之水不生也 水陰精者志也心陰精者神也兩精持之故泣不下也
故以人彦言曰心悲以〻志悲心与精共湊目
也是以俱悲則神氣傳於心精上不傳於志
[illegible]彦美言也人之美言有當

[illegible]

也而志獨悲故泣出也虞義言也人之義言有當於事以為信也虞言心悲名曰志悲有所以也良以心与精在於目俱為悲者神氣傳於心精不傳於志志無所持故陰精獨用為悲所以泣水下之也

涕泣之者腦也腦者陽也髓者骨之充也故腦滲為涕故夫志者骨之主也是以水流涕從之者行其類也夫涕之与泣也譬如人之兄弟也急則俱死生則俱生其志以燥悲是以涕泣俱出而横行是故与涕泣俱出相從出于為之一類也夫涕泣之出本於腦也頭髓悉

悲是以涕泣俱出而横行也夫人涕泣俱出而相

從者所屬之類也夫涕泣之出各於罷也頭髓為陽氣骨之陰也志為骨上腦髓為涕々之与泣同為水類故泣之水出涕即從之此之兄弟有急有涕死生是同相隨不離涕泣太余志動而悲則涕泣横之也

雷公曰大矣請問人哭泣而淚不出者若出而

少涕不從何也謂帝所言許更問帝哭涕泣之事

黄帝曰夫泣不下者哭不悲也不泣者神不慈

志不悲陰陽相持泣安能獨來神者為陽志者為陰神无慈守故意志之失守故悲々故泣出今陰陽相持無失泣安從生之也且夫志悲者惋則沖陰沖

陰則志去目志去則神不守精精神去目涕泣出也

泣待無失泣安從生之也　且夫[illegible]則泣[illegible]

陰則志々去々目則神守精々去目涕泣出也

沖虛也喜悲所甚所履之々履則志亡志亡

去目則不神次守精今神亡去目故涕泣出也

且子獨不

誦念夫經言乎厥則目無所見夫人厥則陽氣

并於陰氣并於下陽并於上則火獨光陰并於

下則手足寒手足寒則脹夫一水不勝兩火故目眥盲

厥逆也人氣逆者陽氣并陰浮上於頭陰氣并陽降下手

足降下手足則手足冷浮上於頭遂致目已以為盲是陽已是一

火下陽并上則是二火志精在目則是一水

一水不勝於二火故熱盛而盲也

是以衝氣之風

[illegible]止　是衝氣揉於眼風害目[illegible]風[illegible]陽氣

一水不勝於二火故熱甚年而盲也 是以衝風之

泣下而止 是衛氣將於眼風至目遂令泣下風乃止之也 夫風之中目陽氣

下守於精是火氣燔目也故見風則泣出

有以比之夫之疾風乃能雨此其類 風者陽也火也風之

究精是火燔目陽氣動陰陰作泣出比天疾風甚雨必降之也

脹論

黃帝曰脈之應於寸口何如而脹岐伯曰其

脈大堅以濇者脹 脈之大者多血少氣濇者亦多血少氣微寒脈口亂堅陽於飲

食以寒脈堅諸有多血少氣微[illegible]

□夫陽之汗者，陽血少氣，□寒，脈口處堅，陽於飲食以寒涼，脈堅，謂有多血少氣，故寒沖是傷於飲食為脹也。黃帝曰：何以知府藏之脹也？岐伯曰：陰為藏，而陽為府。謂得陰脈脹者，以為藏脈脹；謂得府脈脹，以為府脈也。黃帝曰：夫氣之令人脹也，在於血脈之中耶，府藏之內乎？血脈謂廿八脈也，間脈所在也。岐伯曰：三者皆存焉，然非脹之舍也。衛氣並脈，循分肉之間，在脈、血脈及五藏六府，各脹，故曰三者存焉，然非脹之所舍處之也。黃帝曰：願聞脹舍。岐伯曰：夫脹者，皆在於府藏之外，排藏府而郭胸脇，脹皮膚，故命曰脹。以下言其脹。此之藏府之

夫脹者皆在於藏府之外排藏府而郭胸

脅脹皮膚故命曰脹以下言其脹脹之藏府之外胸脅及六府之間氣在其中郭而排之故命曰脹之黃帝曰藏府之在胸脅腹裏之

內也若匣匱之藏禁器也各有次舍異名而

同處一域之中其氣各異願聞其故以下藏府居處也禁器比藏府也胸脅腹裏比之匣匱也次舍者五藏六府各有居處也藏府之名雖異同在一域之中然藏府

氣別欲聞同異所由之岐伯曰夫胸腹者藏府之城郭也

實郭藏府宇覆之也膻中者主之宮也膻竹旦反心府之氣故是藏府之宮也胃

[illegible]時水穀[illegible]故[illegible]專道

守藏之也。膻中者主之宮也，是藏府之宮也。

胃者，太倉也。（胃貯水穀以供，故為藏府大倉也。）咽喉小腸者，傳道也。（咽呼水穀而入，小腸傳之而出，食傳氣之出入，故為傳道之也。）胃之五竅者，閭里門戶也。（咽、胃、大腸、小腸、膀胱等竅皆屬於胃，故是藏府閭里門戶也。）廉泉玉英者，津液之道也。故五藏六府各有畔界，其病各有形狀。（廉泉乃是涎唾之道，玉英復為溲便之路，故名津液道也。此則藏府畔界，發藏府病形各異。）營氣循脈為脈脹，衛氣並脈循分為膚脹。三里而寫，近者一下，遠者三下，毋問虛實，工在疾

[illegible]營衛二氣為脹，營氣循脈，因於脈郭為脈脹，名為

寫近者一下遠者三下毋問虛實工在疾寫

寫營衛二氣為脹營氣循脈因於腹郭為脹名為脈脹衛氣在於脈外傍脈循於分肉之間聚氣排於分

肉為膚脹三里以為脹之要穴故不問虛實皆須寫之一病日近者可以針一寫其日遠者可三寫之下者脹消也

須寫可不鍼寫之失乎黃帝曰願聞脹形願聞五藏六府脹形也岐伯曰夫

心脹者煩心短氣臥不安肺脹者虛滿而喘

欬肝脹者脅下滿而痛引小腹脾脹者善噦

四肢急體重不能衣腎脹者腹滿引背怏

然腰髀痛氣在藏府之外排藏府郭脅脹皮膚時煩心短氣臥不安者以為心脹知此五藏

六府脹時故此各隨其藏府所

□□骨□脉煩心短氣臥不安者以爲心脹知此五藏

六府脹時放此各從其藏府所脹狀有異耳伏不暢之也

六府脹胃脹者腹滿胃脘痛鼻聞焦臭妨於食大便難大腸脹者腸鳴而痛濯濯冬日重感於寒則減飡不化（定本又□□□也）小腸脹者少腹䐜脹引腰而痛膀胱脹者少腹滿而氣癃三焦脹者氣滿於皮膚中殼殼而不堅膽脹者脇下痛脹口中苦好太息

香爲脾臭焦爲心臭今脾胃之病聞焦臭者以其子病思聞母氣故也殼口角反殼□□今□然□似實而不堅也

□□痛脹□□□□□□□□□□□□□一者惟知

虛思間分氣故也缺口角及缺也令所實而不堅也
候此諸脈，其道在一，明知逆順，鍼數不失。一者，惟知
候之虛實得中補寫也補
者不失也。寫虛補實，神去其室，致邪失正，
真不可定，粗之所敗，謂之夭命。神室心藏也。補實
寫虛傷神，故神去心
而室得於邪氣，夫失正
精正氣數，使真偽莫定也。
補虛寫實，神歸其室，久
塞其空，謂之良工。神安其處，故曰歸室。神得居藏，自然已去長門必閉，故不令邪入，謂上工也。
黃帝曰：脈者焉生？何者為衛氣之所
身也？常并脈循分行，有逆順，陰陽相隨，乃得
衛氣並脈循於分肉行，有逆有順，從目從足三陽下為順，從目

自也。帝若脈循合行，有逆順，陰陽相隨，乃得

天和。營氣並脈循於分肉，有逆有順。夫營自從足三陽下為順，從目循手三陽下為逆。以衛行有逆順，故陰陽氣得和而順也。

五藏更治，四時有序，五數六化，然後厥氣在下，營

衛留止，寒氣逆上，真邪相攻，兩氣相薄，乃合為

脹。五藏藏於五行，故五藏更主四時，冬暑次序，得所五穀入腹，得有變化也。有寒厥之氣留於營衛之間，營衛不行，寒氣逆上，與正氣相薄變，合于脹，以謂為之脹。黃帝曰：善。何以解惑？岐伯曰：合之

於真，三合而得。黃帝曰：善。行補寫，順逆者一，取合於真氣，所以療病，寒遠寒，並取合於真氣，釋白解惑之也。

黃帝問岐伯曰：脹論言無問虛實，

工在疾寫，近者一下，遠者三下，今有其三而不下

藏之也　言[illegible]

工在疾瀉近者一下遠者三下今有其三而不下者必過焉在

蓋言寫虛補實神去其室今言無問虛實工在疾寫也故何也此說初病家是大虛後取三里故工在疾寫若虛已成又取餘穴虛者不可也今至三取不消請言過之所由也

岐伯曰此言陷於肉肓而中氣穴者也

肉肓者皮下肉上之膜也量與肌膚同類氣穴謂是發脹脈氣所發

穴不中氣穴則氣内閉

針不陷其餘處不中脈之穴則脈不通也

針不陷肓則氣不行

不陷肓膜則氣不行於肉間也

不越中肉則衛氣相亂陰陽相逐其於脈也當寫不寫氣故不下三而不下

[illegible]之道[illegible]

陰陽大逐其於脹也當寫不寫氣故不下三而不下

必更其道氣下乃止不下復始可以萬全惡有殆

者乎 鍼入其皮膚而不中其肉則衛氣行而失次陰陽之氣不相逐也由於當寫不寫故三取不下也必須更取餘穴取之以脹消為工故稱萬全也無危殆故稱也 其於脹也必審其診當寫則

寫當補則補如鼓之應桴惡有不下者乎 言病當者如鼓應桴

何有不之之也 黃帝問於岐伯曰水與膚脹鼓脹腸覃石瘕

石水何以別之 此之六病有離合故請別之也 岐伯對曰水始起也目窠

上微腫如新臥起之狀頸脈動時欬陰股間寒

足脛瘇腹乃大其水已成矣以手按其腹隨手而起

上[illegible]如[illegible]之[illegible]

起，臍癰，腹乃大，其水已成也。以手按其腹，隨手而起，如裹水之狀，此其候也。水病之狀，候有六别：一者目裹微腫；二者足陽明人迎之脈見其動不休，按之；三者脹氣循之少陰脈上行於肺，故時有欬；四者臍下陰股間寒；五者脚胻腫起；六者腹如囊盛水狀，按之不堅，素手卽起。此之六種，皆候也。

黄帝曰：膚脹何以候之？岐伯曰：膚脹者，寒氣客於皮膚之間，殼殼然不堅，腹大，身盡腫，皮厚，按其腹，窅而不起，腹色不變，此其候也。膚脹之候有五别：一者寒氣循於衛氣，客於皮膚之間；二者爲腹殼殼不堅；三者腹大，身盡腫；四者皮厚，按之不起，窅而不起，以深也；五者

腹色不變，膚脹所由。鼓脹何[illegible]

不堅三者腹大身腫四者皮厚按之不起窅者了反深也五者
腹色不變膚脹所由
熟候有斯五別也之
鼓脹何如岐伯曰腹身皆大
五別与膚脹等也色倉黃腹脉起此其候也次解鼓
脹之有
六別所由及候以鼓同於膚脹三者裏色青黃
六者腹上脉脉見出鼓脹之候有此六別也之
腸覃何如岐伯
曰寒氣客於腸外與衛氣相搏氣不得營因
有所繫癖而内著惡氣乃起瘜肉乃生其始
也大如鷄卵稍以益大至其成也如懷子之狀
久者離歲按之則堅推之則移月事以時下此
其候也次解腸覃水搏聚為腸覃亦有六別一者待之所感

少者離歲按之則堅推之則移月事以時下此

其候也次詳腸覃水停聚之腸覃凡有六別一者待之所由謂寒客於腸外與衛氣合癥而為内二者所生散之大小三者成病久近離落也又者茲雪歷於年歲四者鞭之堅鞭五者推之可移六者月經時下腸覃所由與狀有斯六種也之

石瘕何如岐伯曰石瘕生於胞中寒氣客於子門子門閉塞氣不通惡血當瀉不瀉衃以留止日以益大狀如懷子月事不以時下次詳石瘕凡有四別一者瘕生所在二者得之所由謂寒氣客子門之中惡血凝聚不瀉所致三者石瘕大小形四者月經不以時下石瘕所由與狀有斯四種石瘕一種以而不解之也

皆生於女子可導而下黃帝曰膚脹鼓脹可刺邪岐伯曰先寫其脹之

以而不時之也　少氣者□□□□而可□黄帝

曰膚脹鼓脹可刺邪岐伯曰先寫其腹之

血絡後調其經亦刺去其血脈黄帝曰善　腸覃

右〻二病皆婦人病也水病刺而去之腸覃石瘕可以針刺

導而下之未知膚鼓二脹可刺已不先寫其血絡以去惡血後

調其經亦

去血絡也黄帝問於岐伯曰有病心腹滿旦食則

不能暮食此爲何病岐伯名爲鼓脹曰治之

帝曰治之以雞醴一劑知二劑已黄帝曰其

時有復發者何也岐伯曰此飲食不節故時

有病雖然其病且已時故當病氣聚於腹　氣滿心

痛雖然其病且已時當痛氣聚於腹氣滿心腹故且食暮不能也是名鼓脹可取雞糞炒丸熬令焦藏以清酒一手大淋之取汁名曰雞醴飲取汗一齊不愈至於二後非直獨療鼓脹膚脹亦愈有復發者以不慎節飲食故也

腹中論

黃帝曰有病腎風者面胕痝然壅害於言可刺不胕扶付反又義當腫也痝音江反腎風損府令面痝然是熱之而無聲故曰害言此為腎風之狀可刺以不也

岐伯曰虛不當刺而刺後五日其氣必至如此狀者腎風之狀腎之重虛之風未可刺也刺之恐其水

伯曰虚之不當刺刺後五日其氣必至如此狀者腎風之狀腎之重虚之風未可刺也刺之其水歒滿曰其病氣當至也除刺之日後取五日合有六日水欲業也問曰何如荅曰至必少氣時熱從胷背上至頭汗手熱口乾舌渇不能正偃則欬病名曰風水腎氣病者有八候一者少氣二時熱三從胷背上至頭汗出四手熱五口乾六舌渇七不能正偃謂不得臥臥即欬有此八候以是腎風以病也黄帝曰願聞其説岐伯曰邪之所湊其氣必虚陰虚者陽必湊之故小便黄者中有熱熱湊虚故氣虚也腎氣既虚則陽氣并故中有熱小便黄也不能正偃者胃中不和也正偃則欬甚上迫肺也腎有虚風即胃中不和

故以有熱小便黄也。 不能正偃者胃中不和
也。正偃則欬甚上迫肺也。腎有厘風即胃中不和，作脉氣上迫肺故欬也
諸有水氣者其微見於目下何以言水者
陰也目下亦陰也腹者至陰之所居也故水
在腹者必使目下腫。水與目下及腹皆陰故水在腹即目下腫也 真氣
上逆口苦舌乾者故不得正偃則欬清水。水在腹
如之氣逆，逆則口苦舌乾，正偃則欬，欬則吐清水也 諸水病者故不得臥，臥則驚，
驚則欬甚。又謂水病作此驚則欬甚復為偃也 腹中鳴者胃事不柔

□□欬甚（則欬甚復為傴也）胞□□者月事不來

病者於胃也薄肝則煩不能食食不下者胃脘隔（月事不來之病由於胃氣不和故氣薄於肝煩不能食致使胃管隔塞腹中無食故腹鳴也）

身重難以行者胃脈在足也（胃脈足陽明屬足今胃氣不和氣下於之故令身重足不得行也）

月事不來者胞脈閉胞脈屬心而絡於胞中今氣上迫肺心藏不得下通故月事不來

黃帝曰善哉（胞者任衝之脈起於胞中為經絡海故曰胞脈也膀胱之胞與女子子門之間起從衝脈上至咽喉究過心肺但肺与心共相繫屬今胞脈□□□塞下則溢於胞氣上則迫於肺氣不得下故月事不）

黃帝問□□白曰有病□□□

脉氣所行寒下則溢於肥氣上則迫於肺氣不得下泄

月事不已 黃帝問於岐伯曰有病瘲然如有水氣狀切其脉大緊身無痛者形不瘦不能食少名為何病岐伯曰病生在腎名為腎風腎風而不能食善驚驚已心痿者死 黃帝曰善哉

瘲然者面皮起之皃腎風色狀亦有云別一形起二脉大緊三身無痛四形不瘦五食少六善驚人有七六狀名曰腎風心不痿者可療得生痿者死矣

論

黃帝問於岐伯曰[illegible]

黃帝問於岐伯曰：肺之令人欬，何也？岐伯曰：五藏六府皆令人欬，非獨肺也。五藏六府皆以肺傳與之，令欬為肺欬也，然藏府皆有欬也。黃帝曰：願聞其狀。岐伯曰：皮毛者肺之合也，皮毛先受邪氣，邪氣以從其合。其寒飲食入胃，從肺脈上至於肺，肺寒，外内合邪，因而客之，則為肺欬。肺合皮毛，故皮毛受於寒邪，内合於肺。又肺脈手太陰起胃中焦，下絡大腸，還循胃口，上膈。肺寒飲寒食入胃，寒氣循肺脈上入肺中，内外邪相合，肺以惡寒，遂發肺欬之病也。五藏各以其時受病，非其時各傳以與之。五藏各以王時邪相合肺以惡寒遂致肺欬之病也五藏各以治時受病非其時各傳以與之五藏各以王時為寒肺先受之傳而五藏以時之欬非其時者又因他藏受寒傳來與之者肺欬之病傳與餘藏語五藏欬之也人與天地參故藏各治時感於寒則受病微則為欬甚為泄為痛各以時者五藏各以王時也感於寒者感傷寒也感傷寒病有輕重輕為欬重者以為泄及痛痺也黃帝曰五藏之欬奈何岐伯曰五藏之久欬乃移於府以下言肺欬相傳為藏府欬也五藏之欬近者未久久者傳為府欬也肺先受邪乘春則肝先受之乘夏

府欬也。肝以受邪，乘春者則肝以受之，乘夏則心受之，乘至陰則脾受之，乘冬則腎受之。肺以惡寒，肺先受寒氣，春肝王之時，肝受即為肝欬；至陰脾先受寒氣於至陰，即為脾欬；冬腎先受寒氣，冬腎王，即腎欬。

帝曰：何以異之？以下言內春至藏欬狀也。

岐伯曰：肺欬之狀，欬而喘息有音，甚則唾血。言肺欬之狀也。

心欬之狀，欬則心痛，喉中介介如梗狀，甚則咽喉腫。介介，食中氣如哽之。

肝欬之狀，欬則兩胠下痛，甚則不可以轉，兩胠下滿。

脾欬之狀，欬則右

甚不可以轉〻則胠下〻滿脾欬之狀欬則右
脅下痛陰〻引肩背甚則不可以動〻則欬胠有本作劇也
腎欬之狀欬則腰背相引而痛甚則欬涎
音延涎液也謂欬涎出之也黃帝曰六府之欬何柰安所受病
岐伯曰脾欬不已則胃受之胃欬之狀欬而歐
嘔甚則長蟲出从下四者言六府欬狀六府之欬也八欬日久移入於府為府欬府不為欬移入藏
者以皮毛受於寒氣與肺中之寒而為欬移於五藏然後外至於府故不從府移入於藏所以胃欬日久移為胃欬長蟲
蛕蟲也
肝欬不已則膽受之膽欬之狀歐〻膽汁嘔膽
汗者欬引於故肺欬不已則大腸受之大腸欬尿

也胃欬不已則膽受之膽欬之狀欬嘔膽汁汁者，欬引於膽，故欬膽口苦也之肺欬不已則大腸受之，大腸欬之狀欬而遺失遺失者，欬引大腸，故遺失也心欬不已則小腸受之，小腸欬之狀，欬而氣與欬俱出小腸在上，欬引小腸，故氣與欬俱發者之腎欬不已則膀胱受之，膀胱欬之狀，欬而遺溺欬動膀胱，故遺溺也久欬不已，三焦受之，三焦欬之狀，欬腹滿不欲食飲三焦無別屬，藏與膀胱合，故膀胱之欬久而不已，腹滿不欲食之也此皆聚於胃，關於肺，使人多涕唾而面浮腫氣逆此六府之欬，皆以氣聚胃中，上關於此皆聚於胃關於肺使人多涕唾而面浮腫氣逆〔此六府受邪以氣聚胃中上關於肺故使面腫浮腫氣逆為欬也〕黃帝曰治之奈何岐伯曰治藏者治其輸治府者治其合浮腫者治其經黃帝曰善〔療五藏欬宜療藏經弟三輸也療六府欬者宜療藏經弟六合也療浮腫者不可絡宜療經脈也〕

黃帝內經太素卷第廿九　氣論

仁安二年十月四日以同本書之

以同本移點校合了　丹波賴基

治元年八月五日以家本移點比校了

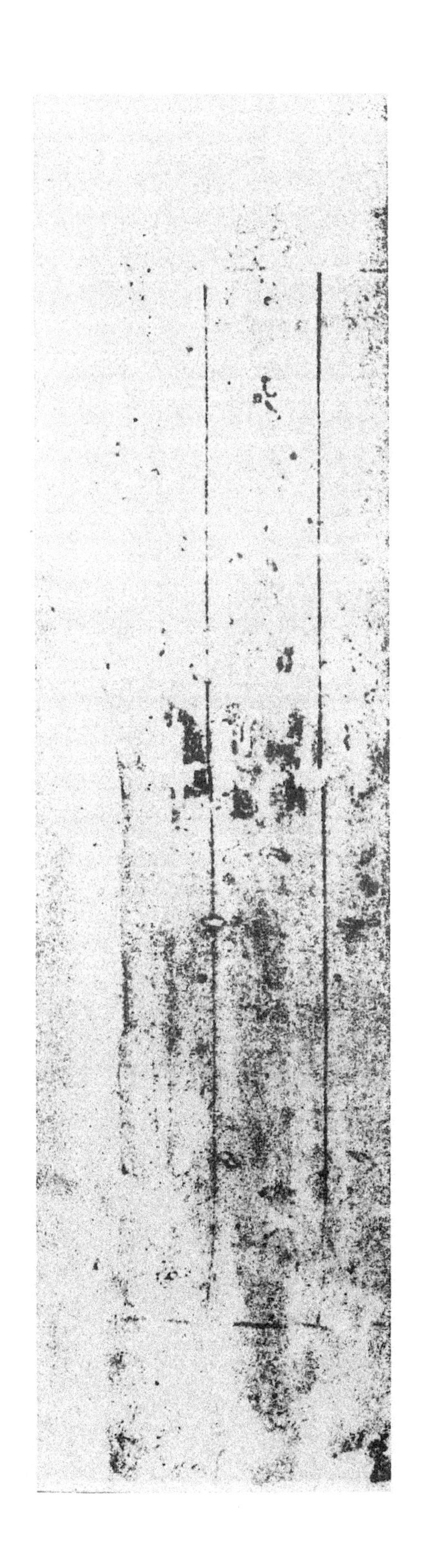

黄帝内經太素卷第卅

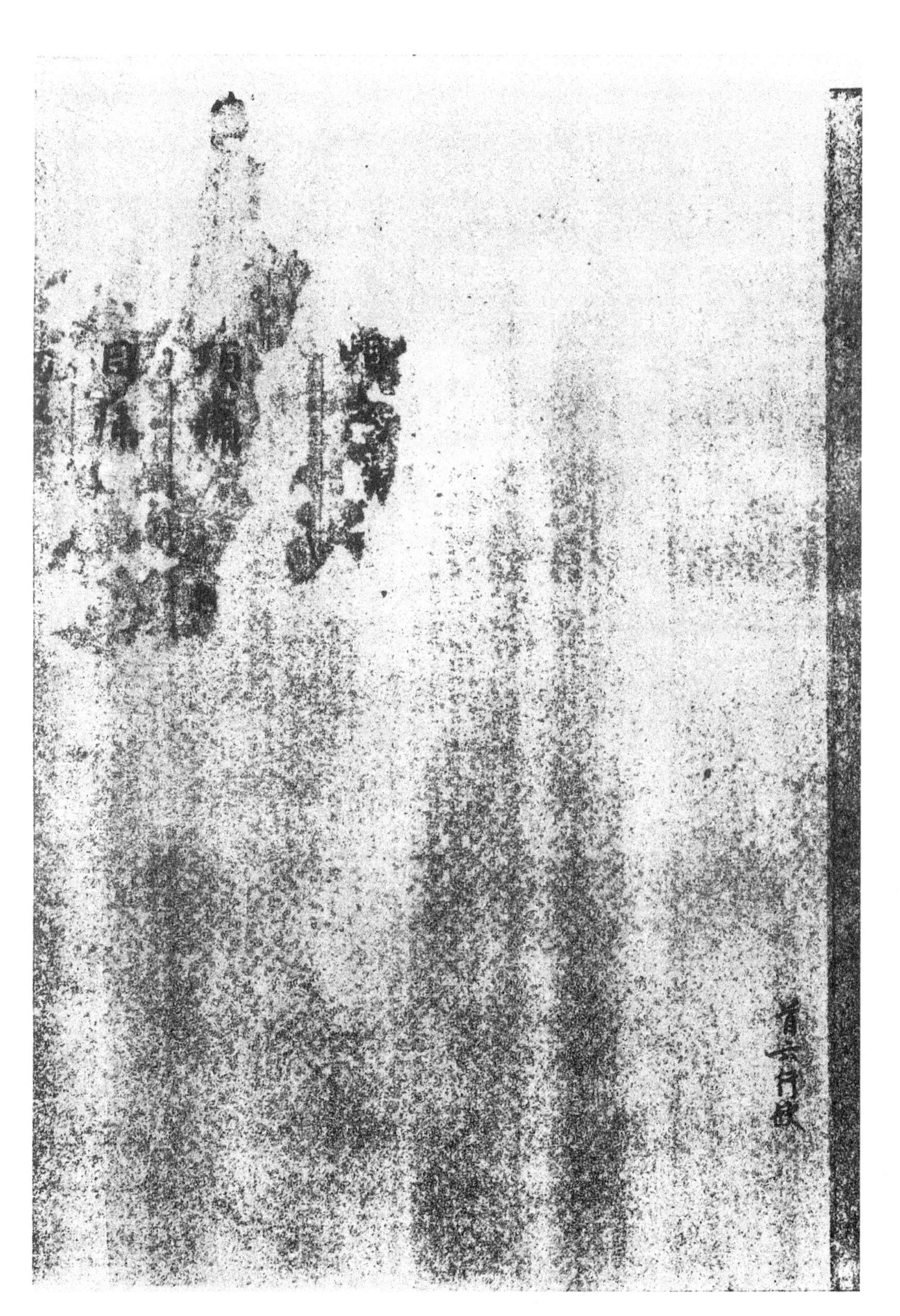

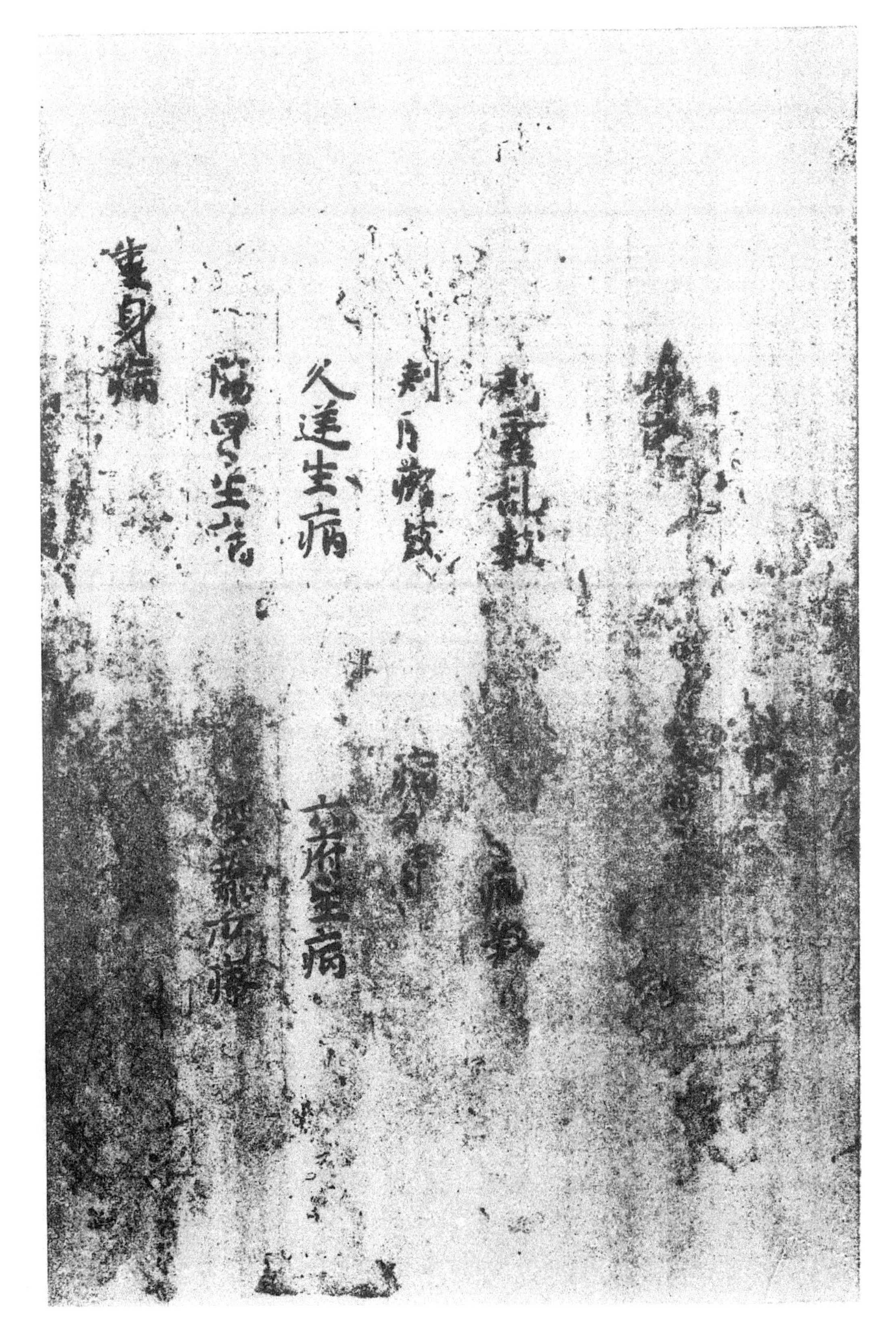

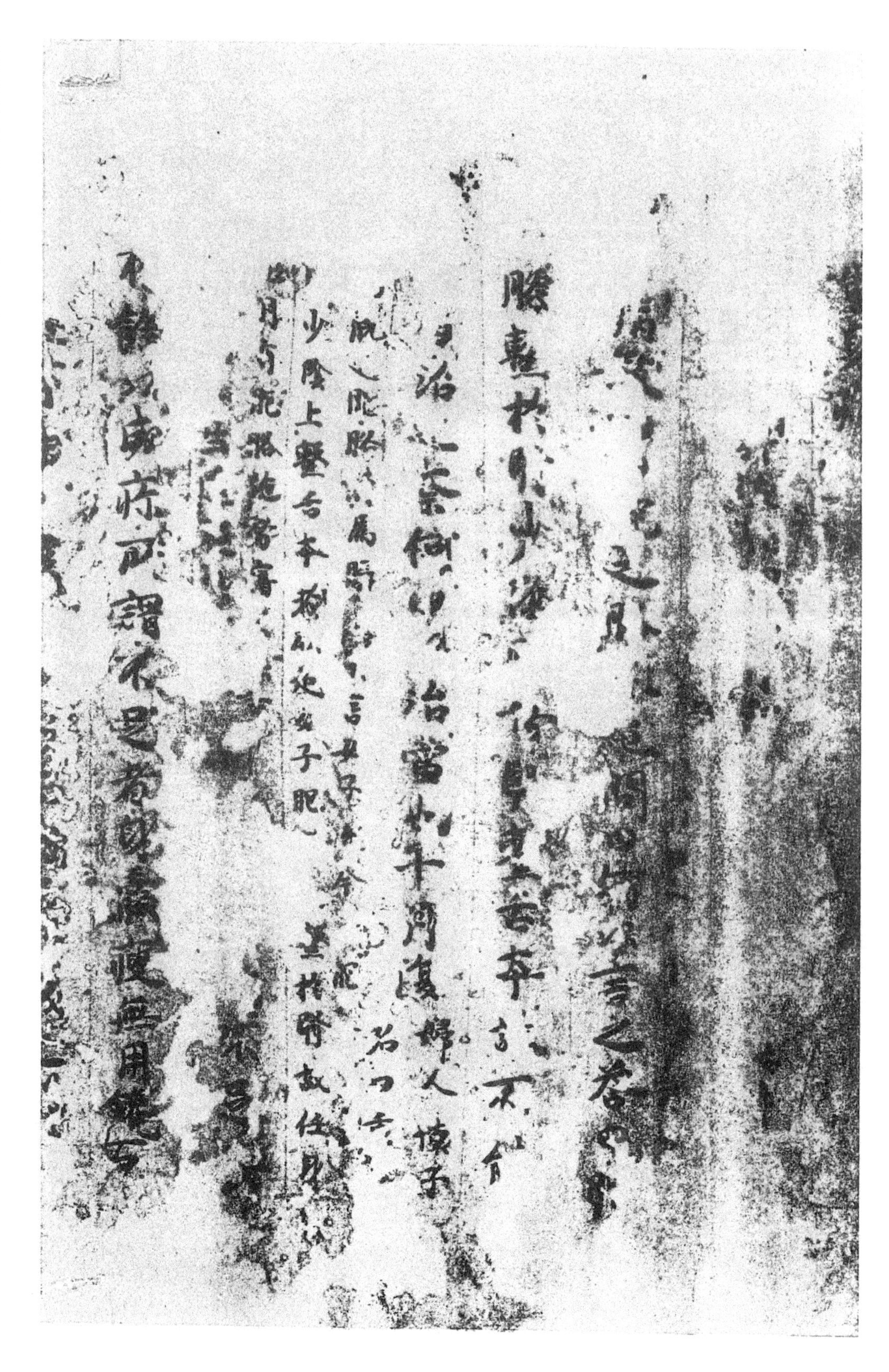

時之變，寒暑之勝，重陰必陽，重陽必陰。

故曰寒生熱，熱生寒，此陰陽之變也。

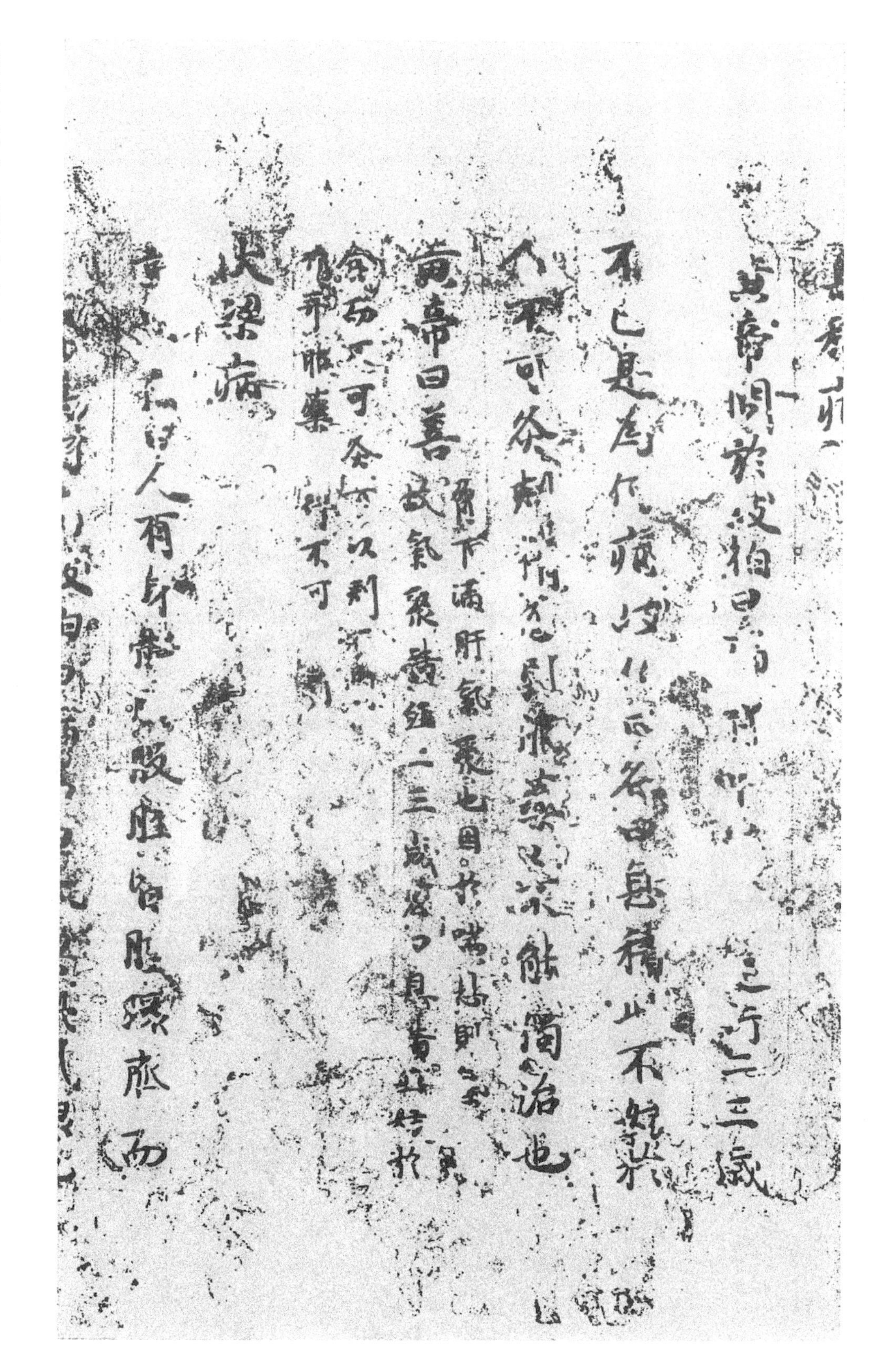

息[illegible]病

黄帝問於岐伯曰[illegible]二三歲

不已是為何病岐伯曰名曰息積此不妨於

[illegible]不可灸刺[illegible]積為導引服藥藥不能獨治也

黄帝曰善[illegible]

[illegible]

伏梁病

黄帝曰人有身體髀股胻皆腫環齊而

[illegible]

在何所 岐伯曰 病名曰伏梁 此風根也

不可動〻之為水溺濇之府 [illegible] 髀附[illegible]也[illegible]

髀膝下受骨曰䯒 如此四處皆腫[illegible]

伏梁[illegible] 以風[illegible]也 動變發也

水病溺澀 [illegible] 黄帝問曰 病有少腹盛 上下左右

皆有根 此為何病 可治不 岐伯曰 病名曰伏梁

[illegible] 如裹之也 [illegible]居腸胃之[illegible]

[illegible]治〻之 每切按之致死 因按[illegible]膿血在腸胃[illegible] 此病有根在少腹中

不可按之 若按之痛 [illegible]

[illegible]病有根在少腹中

不可按之若按之痛遠致於死名曰伏梁

問曰何以然曰此下則陰

[illegible]膿血上則迫胃脘生鬲使胃[illegible]

何以致死以其伏梁下因於陰脉血上出於胃管上[illegible][illegible]使胃管生[illegible]挾[illegible]之[illegible]刺[illegible]上迫胃脘[illegible]死也

此久病難治居齊上為逆居齊下

為從勿動亟奪論在刺法中此風根也

氣溢於大腸而著於肓肓之原在齊下故

環齊而痛也 如此之病[illegible]時[illegible]也此[illegible] 是[illegible]之本其氣溢[illegible]中

著於齊下肓原[illegible]

[illegible]是[illegible]

著於藩下胃原故腎痛[illegible]甚

[illegible]

問曰

問於岐伯曰：病熱者而有所痛者何也？曰

熱病者陽脉也，以三陽之動也。人迎一盛少

陽，二盛太陽，三盛陽明，在太陰，太陽入

於陰，故痛也。在頭與腹，乃䐜脹而頭痛。

曰：善哉。

陽者三氣最大，故人迎三盛，得知病

病不[illegible]陽故少[illegible]得知[illegible]陽[illegible]

[illegible]盛得知熱病為陽，大陽在頭，故熱病甚大陽先受

方病[illegible]陽次少故二歲得知次少陽[illegible]

少陰一歲得知熱病為陽，太陽在頭，故熱病先太陽先受。陽受以下入陽明，故陽明次受，陽則上已未流少陽，故少陽有太陽病，陽成熱，少陽陽傳陰，厥，故頭痛，陽盛陰虛，腹脹也。

脾癉 平按：[illegible]

黃帝曰：有病口甘者，名為何？何以得之？岐伯曰：

[illegible]溢也，名曰脾癉。夫五味入於口，藏

[illegible]脾為之行其精氣，液在脾，令人口甘

此肥美之所發也，此人必數食甘美而多

[illegible]

[illegible]肥美之所[illegible]此人[illegible]食甘美而多[illegible]

肥者令人内熱甘者令人滿故其氣上溢轉

為消渴治之以蘭除陳氣五氣五穀之氣也藥性辟者言

[illegible]之也四義令人[illegible]之甘辟行逆[illegible]虛泉入口可右曰肥[illegible]令内熱氣逆轉為消渴以蘭為湯飲之可以除陳氣也

膽癉

黃帝問岐伯曰有病口苦者名為何以得之

岐伯曰病名膽癉夫肝者中之將也取決於

膽咽為之使此人者數謀慮不決故膽氣

故口為之苦治之以膽募輸在陰陽十一官相使中膽為肝府肝為將取決於膽其人有謀慮不決傷膽氣膽溢之咽入口苦名曰膽癉宜取膽募日月穴也

頭齒痛

黃帝曰人有病頭痛以數歲不已此安得之名為病岐伯曰當有所犯大寒內至骨髓髓者以腦為主腦逆故令人頭痛齒亦當痛大寒入於骨髓

[illegible]入於腦中以其腦有寒逆故頭痛[illegible]

[illegible]於骨髓

流入於脈中以其脈有寒逹故齒痛　齒痛不惡清飲

故淤不已齒為骨餘故亦齒痛

氣[illegible]陽明惡清飲取手陽明[illegible]

[illegible]齒本可取之陽明下

[illegible]取手陽明也

頷痛

[illegible]頷痛刺手陽明與頷之盛脈出頰頷刺陽

明曲周動脈見血立已不已按人迎於經立已[illegible]

明上[illegible]頰故頰頷皆取之曲周動

[illegible]足陽明無手陽明動脈也

脉者足陽明，無手陽明動脉迎也

肩痛不可俛仰，刺足大陽；不可顧，刺手大陽

足大陽脈行項，故不可俛仰，取之手大陽脈行肩左右，故不得顧故也

喉痺嗌乾

喉痺舌卷，口中乾，煩心，心痛，臂內廉痛，不可及頭，取手小指次指爪甲下，去端如韭葉

手心主出屬心包，下鬲，絡手少陽三焦，中……絡頁，故食……舌……氣煩心心痛臂內痛，故取之也

佐有塗故食濟舌之心之氣煩心之痛居體内痛宜取之也

瘖不能言取陽明絡虚取之陽明手陽明脈散絡上頭足陽明循喉嚨入缺盆故喉瘖不言不能言取此二脈療主痛者也

齒乾口中熱如膠取足少陰足少陰脈至舌下故口熱取之

目痛

中赤痛從内眥始取之陰蹻目内眥陰蹻脈上故取之主之蹻脈

眥外決於面者為兌眥在内近鼻者上為外眥下為内眥人之目眥有三外決為兌眥内眥上為外眥下為内眥准明堂兌眥為外眥近鼻者為内眥也

也下為內眥 為內眥推明堂允眥為外眥近鼻者為內眥也

耳聾

耳聾無聞取耳中 耳中聽宮角孫等穴也 耳鳴取耳前動 耳前動脈和帘會等穴也 耳痛不可刺者耳中有膿若有乾擿抵耳無聞也 耳痛者有二有膿有乾擿抵無所聞者是不可刺也而有聞聹者可刺擿當狄反抵乃井反 耳聾取手足小指次指爪甲上與肉交者先取手後取足 手少陽手小指次指即關衝穴足少陽至足小指次指即竅陰穴也其脉皆入耳中故二經取之也 耳鳴取手中

指爪甲上左取右右取左先取手後取足

也其脈皆入耳中此二經[illegible]

中指爪甲上左取右右取左先取手後取足

手足中指手心主脈明堂不療耳聾之二[illegible]指[illegible]之經脈並皆不上今手足中指皆療耳聾今對之猶未詳[illegible]刺也恐重誤

聾而不痛取足少陽聾而痛取手陽明

足少陽正經入耳手陽明別脈入耳足少陽主骨[illegible]耳故取之也手陽明主氣益耳故痛取之也

衄血

衄而不衃血流取足太陽衃取手太陽不[illegible]

刺腕骨下不已刺膕中出血

衃凝血也[illegible]一本又曰不[illegible]

也足太陽經與手太陽[illegible]

也足太陽起鼻手太陽至目內眥睛明穴故出血取之顴骨手顴骨起骨名完骨非項完也

善怒

善怒而不欲食言益少刺足太陰怒而多言刺足少陽怒肝木也食脾土也今木剋土故怒不欲食宜補足太陰肝足厥陰經也足少陽多言也故寫少陽也

療筋

黃帝曰人有尺數甚筋急而見此為何病[illegible]

黄帝曰人有尺數甚筋急見[illegible]

謂疹筋者是腹必急白色黑色則病甚 大數

急見出者此為疹筋疹筋之急腹為[illegible]

尺乘脉其色白黑所甚也有[illegible]為尺數也

血枯

黄帝曰有病胷脅支滿者妨於食病至則先聞

腥臊臭出清液先唾血四支清目眩時時前後

血病名為何何以得之岐伯曰病名曰血枯此得之

少時有所大脫血若醉以入房中氣竭肝傷故

[illegible]血枯病形有[illegible]一胷脅支滿二[illegible]

使月事衰少不來也 血枯病形有八一胷脅支滿二妨食三病將發先聞腥臊臭氣四出清液五病先唾血六四支清七目眩八時時前後出血具八狀名曰血枯之病此得由之少年之時有大脫血若醉入房氣竭絕傷肝遂使月事衰少或不復來以成此血枯之病也

黃帝曰治之

何以何術荅曰四烏賊魚骨一藘茹二物并合

之合丸以雀卵大如小豆以五丸為後飯鮑魚汁 [illegible]補以雀卵為丸食後服之

利腸中及傷肝 飲鮑魚汁通利腸承補肝傷也

問曰人身非常温也非常熱也為之熱而煩滿者何也答曰陰氣少而陽氣勝故熱而煩滿也此陰[illegible]而[illegible]熱而煩是為陽勝故也

身寒

問曰人身非衣寒也中非有寒氣也寒從中生者何答曰是人多痹氣而陽氣少[illegible]氣[illegible]故身寒[illegible]從水中出焉水衣不單而[illegible]而身寒如從水中出為身寒氣故也

從水中出也　如從水中出爲少寒氣故也

肉爍

問曰人有四支熱逢風寒如炙如火者何也答曰

是人者陰氣虛陽氣盛四支者陽也兩陽相得而

陰氣虛少水不能滅盛火而陽獨治獨治者不能生

長也獨勝而止耳逢風如炙於火者是人當肉

爍　人有四支先熱者逢風寒更如炙火是人陰虛陽盛

以其四支是陽陽氣更盛四支亦陽[illegible]

故肌肉不能生長

故曰肉爍之

黄帝内經之

卧息喘逆

黄帝問於岐伯曰人有卧而有所不安者何也

岐伯曰藏有所傷及精有所之倚則不安故人不

能注懸其病 人之有卧不安者由藏有所傷及房 精道多有所依之故偏則不安不能懸其病

故悲 新也 黄帝曰人之不得偃卧者何也岐伯曰肺者藏

之蓋也肺氣盛則脈大大則不得偃卧 肺居藏之上主氣

之有餘則手太陰

脈盛故不得偃卧也 黄帝曰人有逆氣不得卧而息有

吸盛故不得偃卧也 問曰人有逆氣不得卧而息有

音者有不得卧而息無音者有起居如故而

息有音者有得卧行而喘者有不得卧不

能行而喘者有不能得卧卧而喘者皆何藏

使然願聞其故 此五皆是之起居卧之与喘不安之病皆以藏内不和故請[illegible]也

荅曰不得卧而息有音者是陽明之逆也足

三陽者下行今逆而上行故息有音 陽明爲[illegible]之長故氣下

[illegible]有氣息調失和上行逆[illegible]有音[illegible]解息有音也 陽[illegible][illegible]胃[illegible]也胃者六府

之海也其氣亦下行陽明逆不得從其道

逆[illegible]有音者[illegible]解息有音也[illegible]

之海也其氣亦下行陽明逆不得從其道故

不得臥上經曰胃不和則臥不安此之謂也陽

明逆逆行息使有音今不依[illegible]逆

行故不得臥上經前所說之也　夫起居如故

息有音者此肺之絡脈逆也絡脈不得隨經

上下故留經而不行絡脈之病人也微故起

居如故而息有音　夫肺絡脈脈氣逆下而行絡脈

受邪注留於經病在也甚微

起[illegible]如息亦有寧今[illegible]脈氣逆不循也

其病也微[illegible]以起居如故息有[illegible]之也

其病也。故以起病……

卧，卧則喘者，是水氣之客也。夫水者，循津液

而流者也。腎者水藏，主津液，主卧與喘

腎爲水藏，主於耳中津液，今有水氣客於津液循之而

流津液，主卧，主喘。故津液受邪，不得卧，卧則喘之也。

少氣

少氣，身漯漯也，言吸吸也，骨痠體重，懈惰不能

動。腎少陰，漯漯吸吸，皆言少氣之狀……耳。故補腎足少陰脈於所發之穴補也。

短氣，息短不屬，動作氣索，補足少陰，去血絡屬，連也。

邪氣也。亦是腎氣虚，故補足少

[illegible]重作氣當刺少陰去血脈也索

取氣也亦是腎氣虛故補足少陰正經寫去也除絡以指去之也

氣逆滿

氣逆上刺膺中陷者與下胸動脈 府去重取也

氣滿胸中喘息取足太陰大指之端去爪甲如韭

葉寒則留之熱則疾之氣下乃止 足太陰脈也是大指端隱白穴也

療噦

噦以草刺鼻嚏嚏而已無息而疾迎引之立已

[illegible]疾迎引之[illegible]則[illegible]

[illegible]

久瘧之不可　疾逆刺之者以其不刺無息可疾　之刺刺[illegible]餘

膂痛

足太陽脉令人膂痛，引項脊尻背如重狀，刺其郄中太陽正經出血，春無見血。項脊尻皆足太陽行處故背痛　郄中足太陽郄委陽是太陽在谷　禁之[illegible]故禁之也　少陽令人膂痛，如以鍼刺其皮中，循循然不可以俛仰，不可顧，刺少陽成骨之端出血，成骨在膝外廉之骨獨起者也　足少陽足少陽也其[illegible]行[illegible]循[illegible]氣[illegible]

[illegible]

夏無見血。少陽，足少陽也。其脈循頰，循脅出氣街，以繞毛際，骨故腰痛，不可俛仰及顧。成骨，膝外骨也，起大骨。足少陽脈循髀出，過故腰痛，刺之。之少陽主春，至夏氣衰，出血恐虛，故禁之。陽明令人腰痛，不可顧，顧如有見者，善悲，刺陽明於䯒前三痏，上下和之出血，秋無見血。陽明□□，支者循喉嚨，入缺盆，又支者循腹裏，下氣街，故腰痛不可顧。陽明穀氣之長，故善有見。所射，故善悲。下循胻外廉，故刺之以和上下也。陽明在秋，夏重秋而衰，出血恐虛，故禁之也。足少陰令人腰痛，痛引脊內廉，刺足少陰於內踝上二痏，春無見血，出血太多，不可復。足少陰脈上股內後廉，貫脊屬腎，絡膀胱，故腰痛。刺在春則

[illegible]

也足少陰脈上股内後廉貫脊屬腎絡膀胱故脊痛引脊内痛也出然骨之下循内踝之後故取内踝之下少陰與太陽

取冬至春氣未出血恐虛故禁少足也厥陰之脈令人腰痛腰中如張弓

弩弦刺居陰之脈在腨踵魚腹之外循之累累然

乃刺之其病令人善言嘿嘿然不慧刺之三痏

知陰脈腨踵魚腹之外其脈出者是太陽脈當是足太陽絡之也解脈令人腰痛引

肩目䀮䀮然時遺溲刺解脈在膝筋肉分間

郄外廉之横脈出血血變止解脈行處為病与足厥陰相當

[illegible]

[illegible]

是之[illegible]脉　陰絡脈

同陰之脈令人腰痛，痛如小鍼居其中，怫然腫，刺同陰之脈在外踝上絶骨之端，為三痏。

同陰脈在外踝上絶骨之端，當是足少陽絡脈也。

解脈令人腰痛，痛如引帶，常如折腰之狀，善恐，刺解脈在郄中結絡如黍米，刺之血射以黑，見赤血而已。

義之解脈与厥相似，故刺解脈郄中，當是取足厥陰郄中之絡也。

陽維之脈令人腰痛，痛上怫然腫，刺陽維之脈，脈与太陽合腨下間，上地一

陽維，諸陽之會，從頭下至金門陽交郄，是足少陽

[illegible]陽[illegible]上太陽[illegible]

足太陽從諸陽之會從項下至金門陽交即是也行腰[illegible]之太陽合於膕下間上地一尺之中療腰痛要

也衡絡之脉令人腰痛痛不可以俛仰仰

則恐仆得之舉重傷腰衡絡絕惡血歸之刺

之在郄陽筋之間上郄數寸衡居為二痏出

衡脉循脊裹因舉重衡脉絡絕惡血歸聚之處以為會陰切腰痛刺郄陽筋間上數寸衡氣居處

之脉令人腰痛痛上漯漯然汗汗乾令人欲飲飲已欲

走刺直陽之脉上三痏在蹻上郄下五寸橫

[illegible]刺直陽者有本作會陽[illegible]

刺直陽之脈上三痏在[illegible]

横居視其盛者出血　刺直陽者有本作會陽為[illegible]　上郄下五居臥脈遂也

飛陽之脈令人腰痛痛上怫怫然甚則悲以

恐刺飛陽之脈在内踝上二寸太陰之前與陰

維會　是太陽別名曰飛陽有本作飛陽[illegible]外踝　上七寸別走足少陰當至内踝上二寸是少陰[illegible]

前与陰維會處　是此刺處也　昌陽之脈令人腰痛痛引膺

目䀮䀮然甚則反折舌卷不能言刺内筋為二痏

[illegible]踝太陰前太陰後上踝二寸所　内筋

[illegible]後内踝上三寸所太陰[illegible]

[illegible]前太陰後[illegible]太筋前大[illegible]

陷後内踝上三寸所太筋當是足太陰之筋内[illegible]筋
又二太陽之筋之前足大陰脉之後内踝上三寸[illegible]散

脉令人胥痛而熱熱甚生煩胥下如有横木
居其中甚則遺溲刺散脉在膝前肉分間
在脇外廉束脉為三痏散脉在膝前肉分間[illegible]
十二經中唯足厥陰
足少陽在膝前主溲状當是此二經之别名在二因[illegible]
舒太陽外直小絡名束脉名散脉也
之脉令人胥痛不可以欬欬則筋攣急刺肉
里之脉為二痏在太陽之外少陽絶骨之後
太陽外絶骨後當是
胥痛[illegible]

[illegible]

太陽在脰骨後當是少陰爲内里脉也 胷痛侠脊而痛至頭沉沉

然目眩，欲僵，刺足陽明郄中出血 足陽明在頂下文皆此一

頸下口循腹裏下至氣街腹裏近脊故胷痛足陽明郄中出血之也 胷痛上寒

刺足太陽陽明上熱刺厥陰不可以俛仰刺

少陽中熱如喘刺足少陰刺郄中出血 胷痛上熱

裡當胷之大陽足陽明脉胷痛上寒屬當胷之厥陰

脉足少陽主機關不可俛仰取之少陽胷痛中熱喘

如喘氣動可取足少 胷痛刺少腹控眇不可仰

陰郄中出血之也

[illegible]

陰郄中出血之也 實[illegible]陽[illegible]時不合[illegible]

刺眇〻尻交者兩胂〻上以月生死為痏數發

鍼立已。眇从沼文胂脊骨兩箱肉也 腰痛〻上寒取

足太陽痛上熱取足厥陰不可以俛仰

取足太陽中熱而喘取足少陰膕中血絡

痛上〻痛刺脚中〻 胕刺膕中之也

髀疾

髀不可舉，側而取之，在樞合中，以員利鍼

大鍼不可 足太陽 以過髀[illegible]

鼽不可大側而取之在樞合中以員利鍼

大鍼不可 是太陽以過髀樞中所為樞合也

膝痛

膝中痛取犢鼻以員利鍼發而間之鍼大

如氂刺膝無疑 犢鼻是陽明脉氣所發故膝痛取之

痿厥

痿厥為四末束悗乃疾解之日二不仁者十日而

知毋休病已止 以束四支如束悗煩也

如[illegible]來急煩也

癃泄

癃取之陰蹻及三毛上及血絡出血　衝脉足少陰高上衝陰脉入

陰故取陰蹻所主病者足厥陰脉起大指聚毛

之上入毛中環陰器故癃取陰蹻脉所主之處

下取足厥陰脉三毛之上

及此二經之絡去血

病泄下血取曲泉　曲泉足厥陰脉之所入也

如蠱如妲病

男子如蠱女子如妲身體腰脊如解不欲飲食先取

涌泉見血視跗上盛者盡見血　蠱音古妲音阻女惑為病男病名蠱其状

狂無失其正理不識是非辭於所[illegible]男[illegible]為病女病名

治京則直精誠上通者盡其真，爲病累病不盡其述
狂妄失其正理，不識是非，醉於所識男識女爲病，或病名
姐。其狀痿黃羸瘦，憹於所識，令有男子之病如姐，
於女子之病如姐，可應取腎之井，可以相恍之疾也。問曰：
喜妬變忘，又生於心，令人對癸暴之不□□而□
有生於風寒暑濕飲食男女非心病者，可以□爲石易藏
去之。喜怒憂思傷神爲病者，先須以理清神，明性去□
欲專思慮，後以針藥，釋而助之。但能針藥者，不可□
又加身體骨脊解別不欲食者，先以之少陰於足下，
涌泉之輸去血，及鍼少陽於足
附上脇盛之處去血也。

癲疾

黃帝問岐伯曰：人生而有病癲疾者，病名爲何？安得之

[illegible]

帝曰病名為胎病此得之在腹中時其母有所大驚氣上而不下精氣并居故令子發為癲疾人之未生也四月為胎母之人物所驚許氣并之上於胎故生已發為癲疾也癲疾始生先不樂頭重痛視舉目赤其作極已而煩心候之於顏取手太陽陽明太陰血變而止手太陽上頭在目絡心手陽明絡肺者太陰與手陽明通故不樂頭重目赤煩心取之也

癲疾始作而引口啼呼喘悸者候之手陽明太陽左僵者攻其右右僵者攻其左血變而止手太陽支別頰頰在鼻手陽明俠口故啼[illegible]

頰，挾鼻，手陽明侠口，故啼并左右僵皆取之也

癲疾始作而引口啼呼喘悸，候之手陽明太陽，右僵者攻其右，左僵者攻其左，血變而已也。手太陽支者別頰上䪼抵鼻，手陽明侠口啼呼，故左右僵皆取之也。

癲疾始作而反僵，因而脊痛，候之足太陽陽明手太陽，血變而止。足太陽侠脊，足陽明手前上至頞顛在頭，手太陽行肩甲，故反僵脊痛因之也。

治癲疾者，常與之居，察其所當取之處，病至視之，有過者瀉之，置其血於瓠壺之中，至其發

時血獨動矣不動灸窮骨廿五壯窮骨者骶骨也病有過者視其絡脈病過之處刺取滿血盛之瓠壺中其發時血自動不動者灸窮骨也骨癲疾者顑齒諸輸分肉皆滿而骨居汗出煩悗歐多沃沫氣下洩不治居聚也骨之處謂不可療候之八顑齒輸及分肉間骨居汗出煩悗歐多沃沫氣下洩有此八候是骨癲疾死不可療也之筋癲疾身倦攣急大刺項大經之大杼脈歐多沃沫氣下洩不治炙者足太陽之部宜刺項之大經之太陽脈大杼之穴若歐沫已氣下洩不可療也脈癲疾

入新之穴若無法已無一下沈死不可療也

於四支之脈皆脹而縱脈滿盡刺之出血不滿俠灸項

太陽灸帶脈於膂相去三寸諸分肉本輸歐

多沃沫氣下洩不治 癲疾要前刺作四支脈皆 脹滿者淺後有可刺[illegible]

五若不脹滿可灸太陽[illegible]主[illegible]者又灸 十四椎相去三寸分肉之間諸主癲疾之輸也

治癲疾者病發如狂者死不治 [illegible]諸之療也

[illegible]言[illegible]謂之狂[illegible] 若狂病甚者死不療也

[illegible]海

治狂始生先自悲也喜忘善怒善恐者得之憂飢治

之取手太陽陽明血變而止及取足太陰陽明之

狂病先因憂飢之甚不能去解於心又由飢虛遂神

失守則自悲也喜忘善怒善恐狂病起也

之失志也因疾之心府手太陽脈府手陽明也足太陰陽

明主穀以可補也二脈以實其氣虛飢之病上

狂始發少卧不飢自高賢也自辯智也自尊貴

也善罵詈日夜不休治之取手陽明太陽太陰舌

下少陰視之盛者皆取之不盛者釋之手陽明

太陽脈

一脈主氣故少卧自

[illegible]

[illegible]

[illegible]

狂憙驚憙咲好歌樂妄行不休者得之大恐

之取手陽明太陽太陰 [illegible]

狂目妄見耳妄聞憙呼者少氣之所生也

治之取手太陽太陰陽明足太陰頭兩顑 [illegible]

狂者多食喜見鬼神善笑而不發於外

得之有所大喜治之取足太陰太陽陽明

[illegible]

陽厥脉手太陰心主明不發者狂者也故人多病哭泣陽之太喜者喜憂亦喜并能發狂與太喜發生與憂不同所以此病發在手之太陰手心主明所太陰是肺此病所由故手厥之人狂稱暑也之狂而新發未應如此者見則曲泉左右動脉及盛者見血食頃已不已以法取之灸骶骨廿壯曲泉肝之脉骶陰脉也

厥逆

厥逆為病也足暴凊胸若將裂腸若將

厥逆為病也足暖[illegible]

以刀切之煩而不能食脈大小皆濇暖[illegible]

足少陰清取足陽明清則補之溫則寫之

厥逆之病之奏胃滿心悶不能食者脈大皆多血少氣鍼而溫者可取足少陰輸穴取其火

鍼之之寒者取足陽明輸穴補者陽居也之

厥逆腹脹滿腸鳴

胸滿不得息取之下胸二脇欬而動手者

與背輸以指按之立快者是也

厥逆胸滿深息可[illegible]

[illegible]二脇欬而動手之處謂手太陰中府是也厥[illegible]

膺腧量取背胃及以小腹輸[illegible]去病也[illegible]

[illegible][illegible]寫量取背胃及以小腹會[illegible]大[illegible][illegible]也

內閉不得溲，刺足少陰太陽與骶上以長

鍼。氣逆則取其太陰陽明，厥甚取少陰

陽明動者之經。足少陰太陽主於便溲，故取便溲閉。取此陰陽六經輸穴療之。[illegible][illegible]所取之太陰陽明，肇主喘者，語此明厥氣逆。所取手足少陰陽明三經動脈療主之者也。

厥死

黃帝問岐伯曰：有癃者，一日數十溲，此不

足也；身熱如炭，頸膺如格，人迎躁盛，

[illegible]息氣逆，此有餘也，太陰脈微細如髮

[illegible]

邪氣逆此有餘也太陰脈微細如髮者

不足也其病安在名為何病岐伯曰病在太

陰其盛在胃頗在肺病名曰厥死不治

此得五有餘二不足也帝曰何謂五有餘

二不足岐伯曰所謂五有餘者五病之氣有

餘也二不足者亦病氣之不足也今外得五

有餘內得二不足此其身不表不裏

[illegible]病也人有病[illegible]日數十溲[illegible]

陽明

太明孔䆒之也人有病曰䃂十使俔家也

此則二癩木充也身如火一有者也雨一多
藏如春三病孫之頭類胃師人之類所四
脇息氣迮五有䶪迮人之過而示之五而孫曰行一不
者滿泣手延後太陰師以動之以民
劕生曰藏孔之病

黄帝曰有扁喜怒者此兩者亦恠伯曰生
陽門曰心行以使人怪容曰陽氣者圓春何

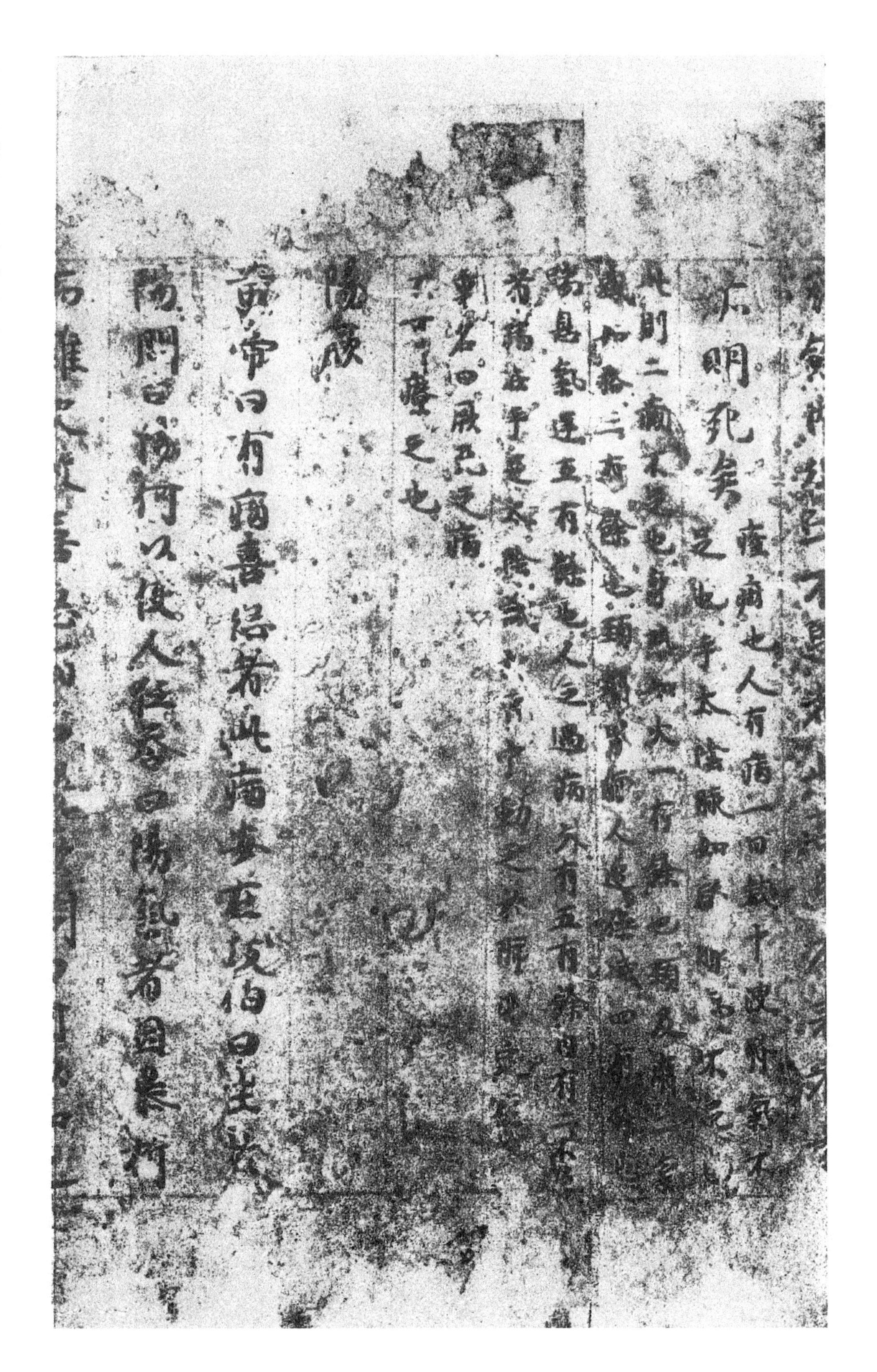

陽厥曰：陽何以使人狂[illegible]

而難決，故喜怒，病名陽厥。問曰：何以知之？答曰：陽明者常動，巨陽少陽不動，而動大疾，此其候也。足陽明人迎脈常動，動有病者。而喜怒，以其太陽少陽不動而大疾動，有積不通，故狂[illegible]也。[illegible]治之奈何？答曰：奪其食即已。夫食入於陰，長氣於陽，故奪其食即已。使之服之以生鐵落為飲，夫生鐵落者，下氣疾也。食者少食也，故氣熱，故[illegible]入胃，以陰中[illegible]陽，所以[illegible]以病，故奪於胃，少食[illegible]生鐵

鍼[illegible]下[illegible]內入膕中[illegible]陽可

以悟一於於病，故婁於情，夕食[illegible]欲出飲，是以治則念失生，[illegible]時覽王也

風逆

風逆暴四支腫，身漯漯，唏然時寒，飢則煩，飽則善變，取手太陰表裏、足少陰、陽明之經，肉清取榮，骨清取井、經也。手太陰為裏，手陽明為表，之經並[illegible]。肉者五[illegible]，榮者火[illegible]也，[illegible]故取榮，腹肉也。骨者水也，井者木也，水以生木，木[illegible]子實母，故取井，謂骨也。

風痓

風痓身反折，先取足太陽及膕中及血絡出[illegible]

[illegible]

風痓身反折先取足太陽及膕中及血絡中

有寒取三里 [illegible]

七寸取之陽明三 [illegible]

[illegible]之也

酒風

黃帝問曰有病身熱解墮汗出如浴惡風

少氣此為何病岐伯曰名曰酒風帝曰治之奈

何岐伯曰以澤寫朮各十分麋銜五分合以

[illegible]

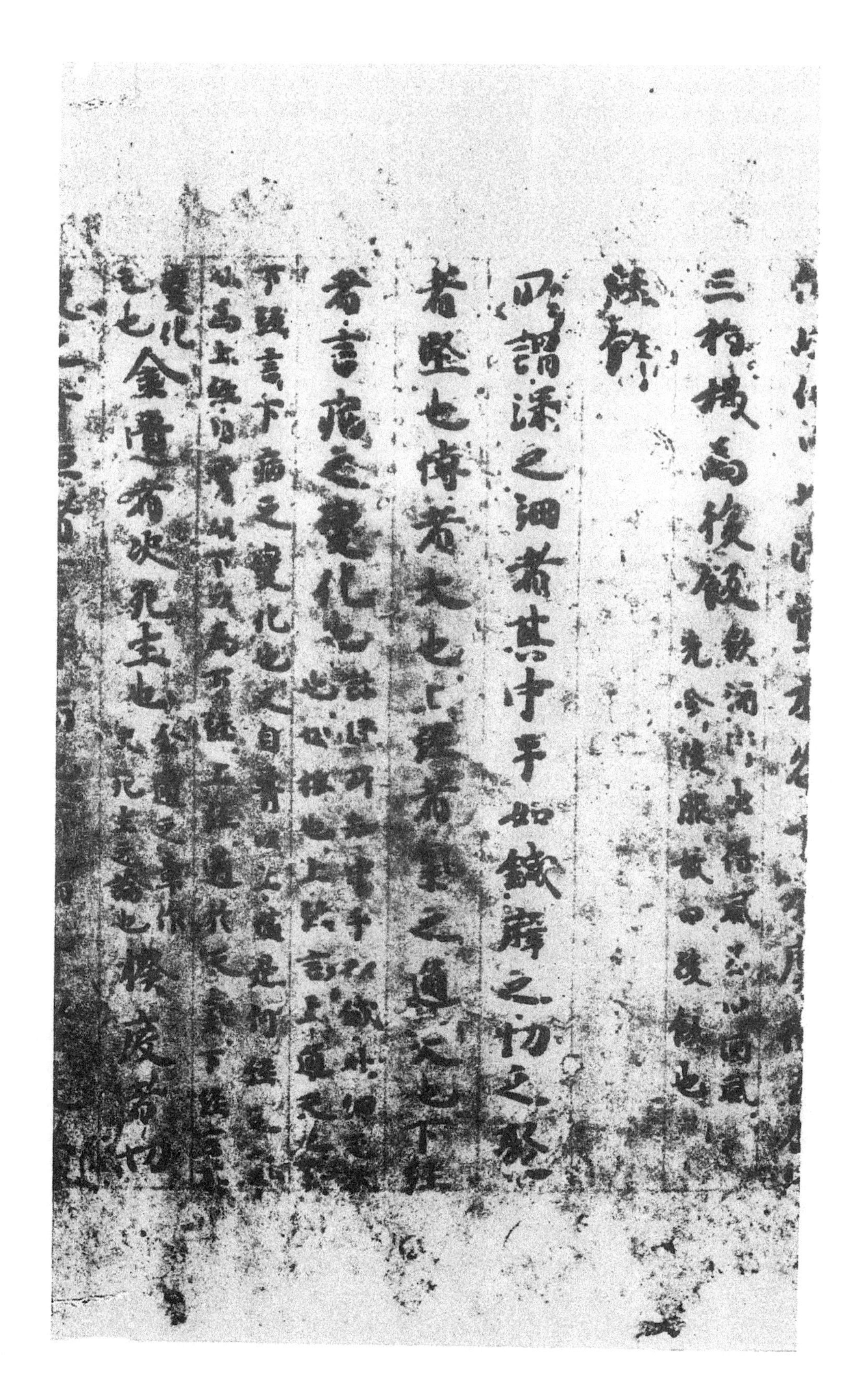

之也金匱者決死生也[illegible]

度之奇恒者言奇病也所謂奇者使奇

病不得以四時死也恒者得以四時

死者也所謂揆者方切求之也言者得

其病處也以四時度之也得病處傳之[illegible]時而氣死為恒也平旦

要論今病以得見者死為奇也揆方切求病所在

揆量之也度者得其病處更於四時度其得失之也

身度

問曰敘度奇度脉度藏度何以知之其度

[illegible]

問曰：[illegible]

也。曰：脉浮而濇，濇而身有熱者死也。[illegible]

有病於身，身節皮可診，脉而知哉。脉浮而濇者，身必有熱，身熱脉浮濇者死也。

經脉虛實

問曰：脉氣之不足，經氣有餘，何如？答曰：脉氣不足，經氣有餘，脉熱而尺寒，秋冬為逆，春夏為順，治主病者。

脉虛經實，何以得知？脉為陽也，經為陰也，寸為陽也，尺為陰也，內也。秋冬陰也，春夏陽也。[illegible]氣虛也，經氣有餘，陰氣盛也。於秋冬時，寸口[illegible]脉尺之皮膚寒為逆，春夏從脉尺之[illegible]

氣虛也經氣有餘陰氣盛也故秋冬得時寸口脈濇

脈尺之皮膚寒為逆春夏逆脈也秋冬膚寒為順得脈

熱也以秋冬陽氣在內陰氣在外今而陰氣在內陽

氣在外故也其尺寸在秋冬問曰經虛絡滿何

表熱脈濇故虛等也

如答曰經虛絡滿者尺熱滿脈口寒濇也此

春夏死秋冬生尺熱滿也經虛絡盛春夏時得天之皮

膚熱滿寸口寒急脈為逆故死秋不得天熱

故為故生脈急多寒脈順天時之也問曰

治此者奈何答曰絡滿經虛灸陰刺陽

經滿絡虛刺陰灸陽經虛陰虛故灸陰脈滿陽滿故刺陽也能經

虛陽故刺陰患虛陽

[illegible]

至陽故則陰盛虛陽虛故發陽之也

禁極虛

問曰：秋冬無極陰，春夏無極陽者，何謂也？

答曰：無極陽者，春夏無數虛陽，陽則狂；

無極陰者，秋冬無數虛陰，陰虛則死。數者[illegible]

春夏是陽用事，秋冬是陰用事。陰陽用事之時行針者，不可數虛陽，數虛陽者陽大發狂；數虛陰者陰盡致死之也。

死之也

順時

聞曰春極治經絡夏極治經輸秋極治六
腑冬則閉寒者用藥而少針石處所謂少
針石者非癰疽之謂也癰疽不得頃時
春夏秋三時極意行針冬時而癰疽得理餘寒者病
迮意不得故不用鍼也春時陽氣在於皮膚故
取絡穴也夏氣在於十二經之五輸故取輸也秋氣
在於六府諸輸故取之也冬氣在於骨髓陽氣伏
藏血脈凝濇不可行於針与砭石但得飲湯服藥
癰疽以是熱病故得用針石也以癰疽暴病不
得頃時失時不
圖癰不知不救安之不應乎

癰疽以是熱病，故得用針石也。以癰疽暴病，不可湯劑失得，不行針石是也。因癰不知不致，按之不應手，乍來乍已，刺手太陰傍三与嬰脈各二有目。痺生，不痛，不知，不得其定，按之不應其手，乍來乍似於主者矣者，此是肺氣所一，可取手太陰脈有主。此病陰陽三刺之，及纓脈足陽明又發主此病者，二取之。

刺癰節度

癰痛瘀滿大急，刺特輸，用中針傍五胠輸各一，適肥瘦出其血。諸盛也。脈大多氣少血也。惡多寒也。癰痛寸口脈盛氣少血少而寒，可取特輸有瘀癰者於中針刺輸傍

若一過用頭上下多寒也痺病寸口脈盛[illegible]
多血少而寒可取特輸有瘻痺者皆中針刺縣陽
五取及胻輸而胃下胻中之輸有瘻痺者左右各
取之取之過也又瘦也
四多少攘左右病之也痺脈小而實急參
腨少陰刺指并脈小者血氣皆少痺病脈皆
寸口之脈血氣皆少而實
而皆寒寸參之少陰痺痺之
氣并指有瘻痺之井也痺脈滑大急刺特
輸用第五針胻輸各一過行至出血
也第五鍼針以取大膿今用刺痺皆
輸可過行至血出而已已也痺脈緩
大虛便用藥所宜宜用針脈緩若實
熱痺病脈
寸口脈緩多熱多氣少血虛者可一[illegible]

夫瘧侇用身百宜一之用鍼　熱瘧論候

寸口脈從夕熱夕氣去夕旦唐若可　肝藥因藥若取所宜之藥以補也　凡治瘧者

先發如食頃乃可以治過之則失時　此瘧失時

也　亦瘧不渴間日而作取足陽明渴而日作

取手陽明　瘧不渴取足陽明渴取手陽明所以取所主除之

刺腹滿數

少腹滿大上走胃至心淅淅身時寒熱小

便不利取足厥陰　水氣聚於少腹上走至於心下淅淅惡寒寒熱少便不利

下熱也足之厥陰所主　[illegible]

得不宗取足厥陰 下泆意未熱少便不利

下熱也足之厥陰所由 氣上胸沈之也 腹滿大便不利腹大上走

胃嗌喘息喝喝然取足少陰 此皆足少陰脈 所行之處故取

其脈之輸穴有本少 陰氣上衝之也 腹滿食不化腹嚮嚮

然不便取足太陰 腹滿食不化腹虛脹不大便 皆足之太陰脈所主故取足藏

此也 腹痛刺齊左右動脈已刺按之立已不

已刺氣街已刺按之立已 腹滿足陽明脈所由 故齊左右動脈足

陽明熱也氣街亦是足 陽明動脈故不已取之也 腹暴滿按之不下取

太陽經絡者胃[illegible][illegible][illegible][illegible]陰俞去

陽明動脈故不已取之也腹滿食不下取
太陽經絡結絡者則人脊者也少陰輸去
脊椎三寸傍五用員利針之太陽与足少陰絡為表裏足少陰上行
貫脊屬腎絡膀胱諸穴故腰暴痛故取太陽經絡結聚絡
腰人之藏暮之氣腰滿未取足少陰之輸侠脊相去一寸
廿椎紛五面之貫行
針暮有脊而暮也

刺霍亂數

霍亂刺輸傍五足陽明及上傍三霍乱刺主腰霍乱輸
陽可五取之及足陽明下脈與
上有腰霍亂輸陽可三取之也

上行療霍亂傷陽可三取之也

刺瘧驚欬

刺瘧驚厥五鍼手太陰各五刺經太陽五刺手少陽經絡者傍一寸足陽明一寸上踝五寸刺三鍼之刺瘧驚厥凡有五刺手太陰五取之又之太陽經取之又手少陽經絡上取之又足陽明傍去一寸上踝五寸三鍼之

刺腋癰欬

腋癰大熱刺足少陽五刺癰而熱不止手心主三刺手心主經絡者[illegible]足少陽下[illegible]

掖癰大熱刺足少陽五刺而熱不止刺手心主三

刺手太陰經絡者大骨之會各三足少陽下胃[illegible]絡所屬[illegible]以癰在掖下故掖骨之間有癰大熱可刺足少陽脈主之穴五取之熱而不已刺手心主脈也所終掖身下脈三寸上極掖故掖癰三取之又取手太陰經絡各三大骨之會者手太陰脈循臂内上骨下廉[illegible]為經絡會也[illegible]

病解

[illegible]治消癉仆擊偏枯痿厥氣滿發逆

[illegible]貴人則膏粱之疾也此之六種是肥貴人膏粱之病

[illegible]也[illegible]不通則暴憂之病此之四種[illegible]

……人貴人……之疾也 高梁一……

隔則絕上下不通則暴憂之病 此之一種因暴憂 所生之病隔塞時上 實也閉謂心隔閉也謂隔與 下使之氣卯上下之也 暴厥而聾不通

偏塞也閉内內不通風也內留著也 暴風牙聾 寒也內氣暴

滿滿不從於內沖風病也以脾氣 停瘦不循於內外以留著之也 蹠跛寒風濕

之病也 風濕之氣生於蹠跛痺病 蹠之名足跛有本為跛也

久逆生病

黃疸暴痛癲疾厥狂久逆之所生 此之五病 之久逆……生

令背……病

黃疸暴病癲疾厥狂久逆之所生 之久逆所生

六府生病

五藏不平六府閉塞之所生 六府受穀氣傳五藏故六府閉塞藏不定也

腸胃生病

頭痛耳鳴九竅不利腸胃之所生 腸胃之脈在頭在於九竅故腸胃不利頭竅病也

經輸所療

暴癰筋濡隨外分而痛魄汗不盡胞氣不 一名汪然分肉濡若謂筋濡也隨分痛者隨分

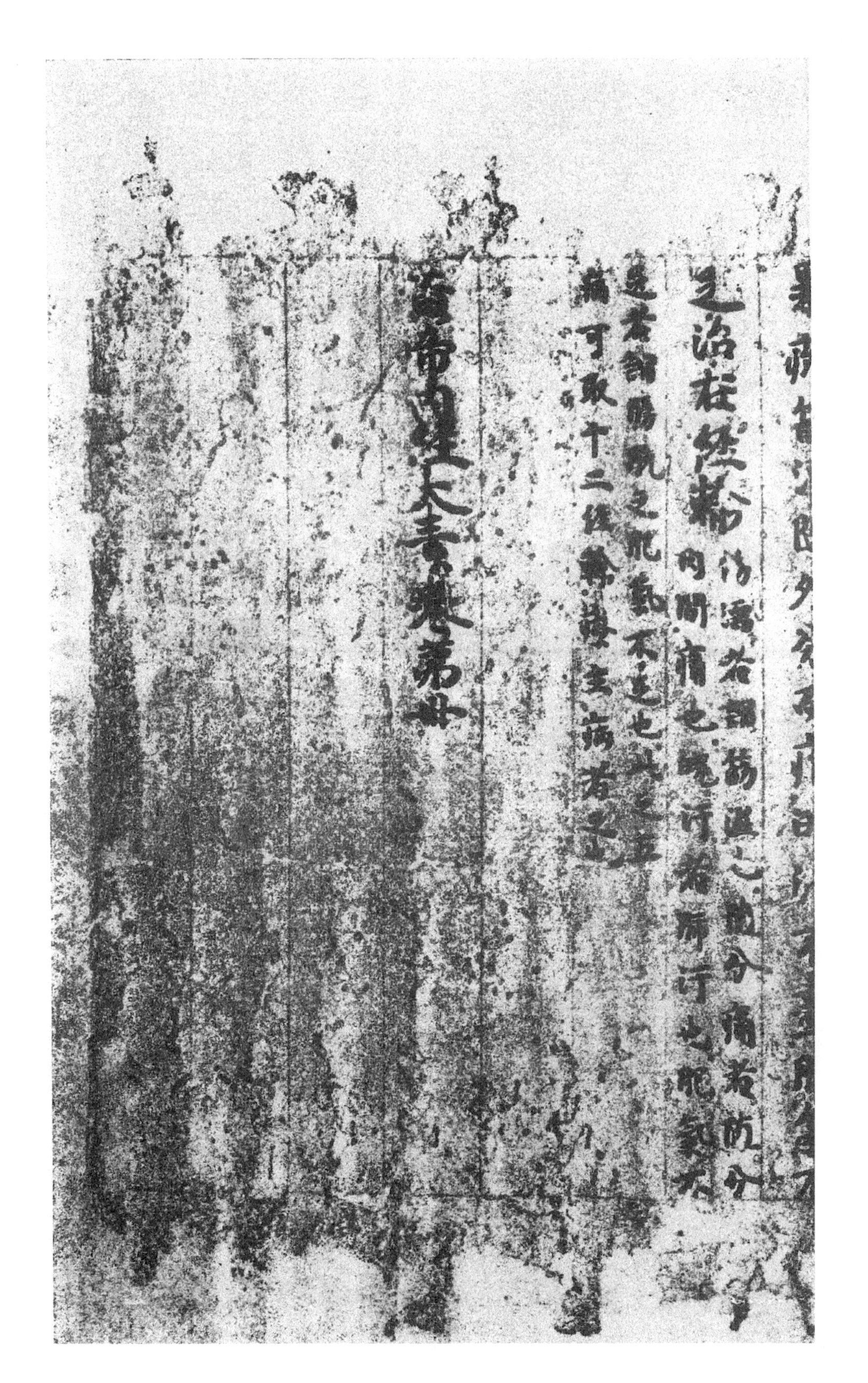

之治在經絡

黃帝内經太素卷第廿

昭和卅三年十月依文化財保護

法修理了

以断簡零葉之文字挿所定之

闕處也

文部技官田山信郎記之